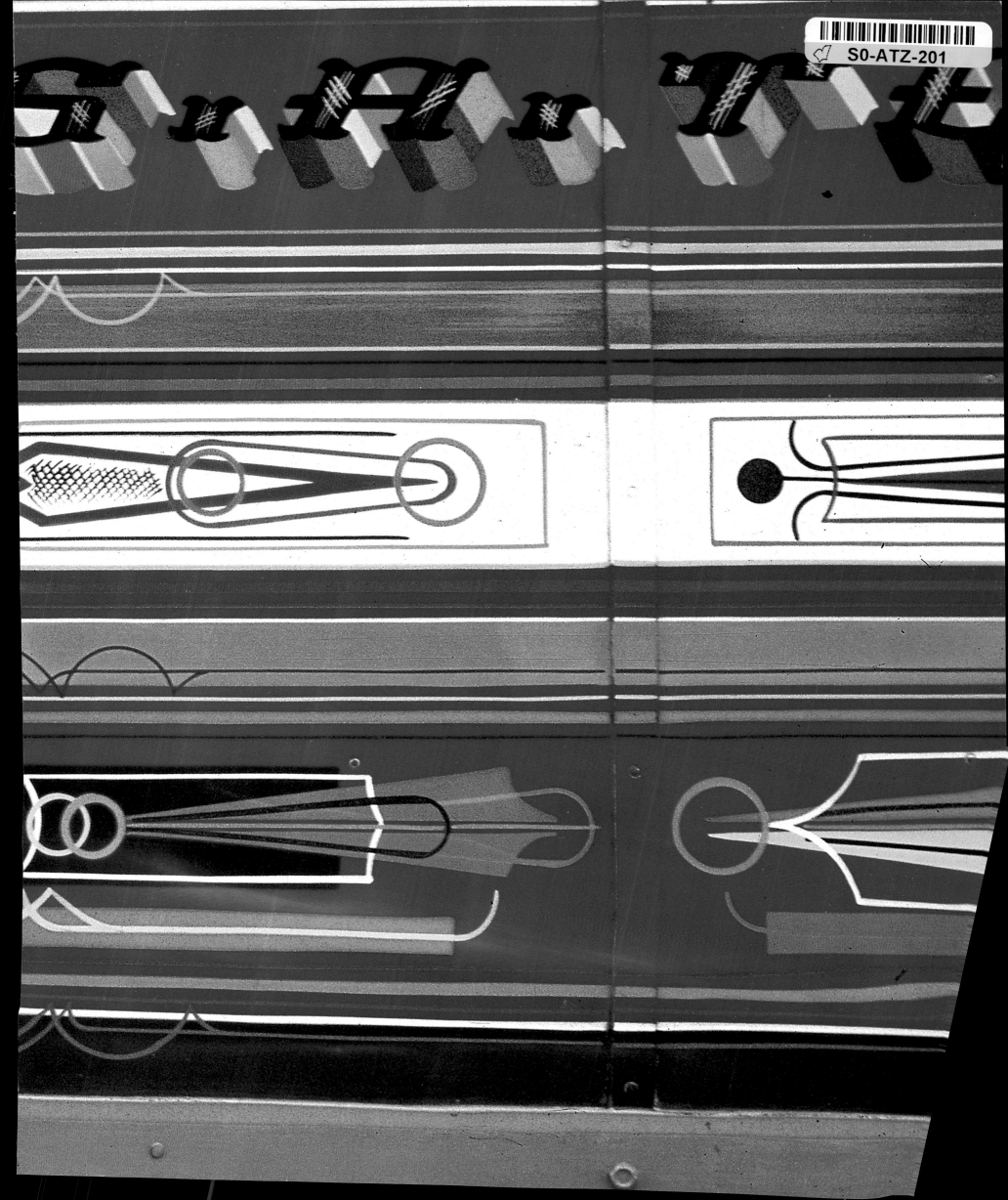

Esta es
COLOMBIA

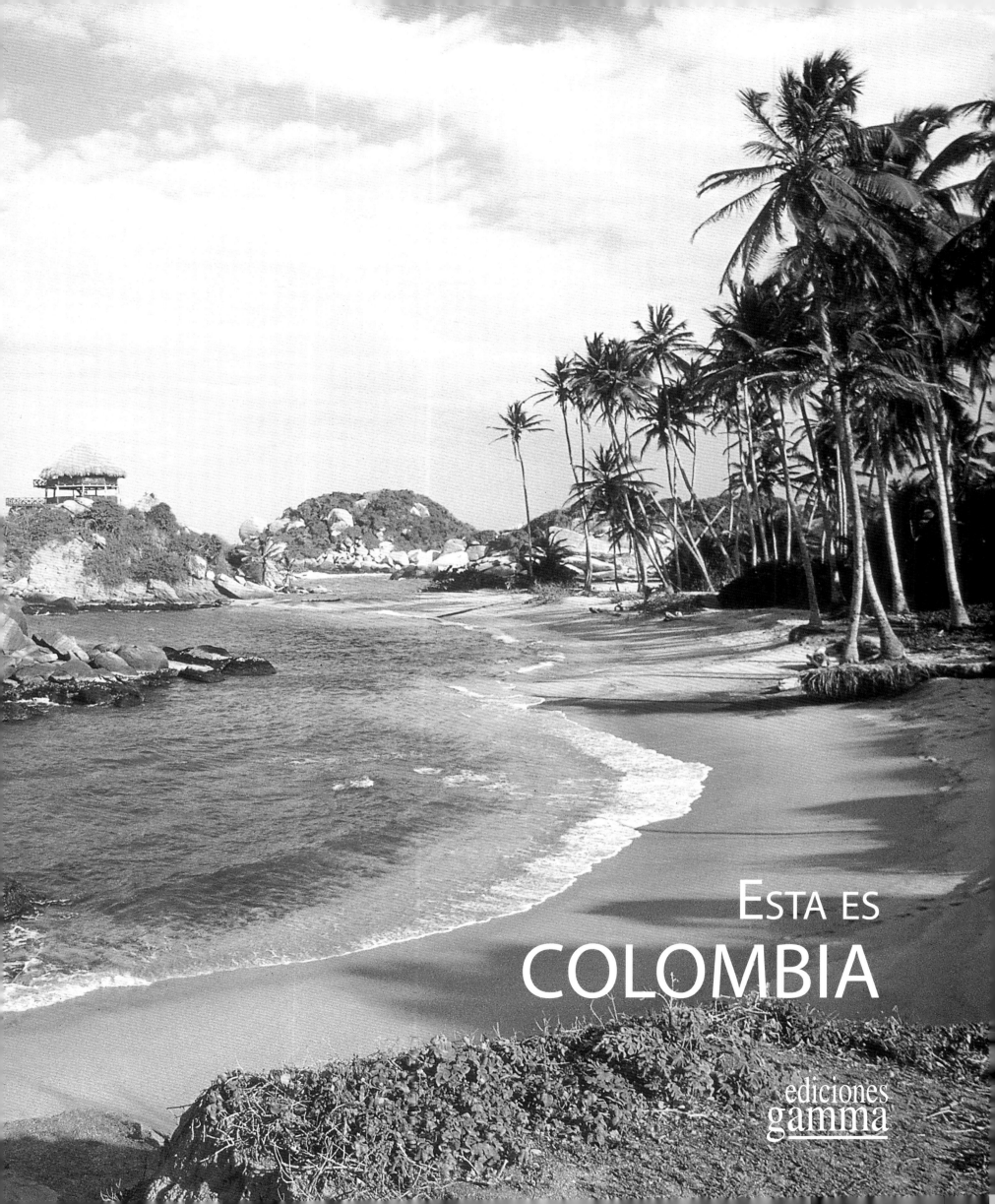

Esta es
COLOMBIA

ediciones
gamma

UNA PUBLICACIÓN DE EDICIONES GAMMA S.A.
TERCERA EDICIÓN SEPTIEMBRE DE 2005

GERENTE GENERAL
GUSTAVO CASADIEGO CADENA

DIRECTORA EDITORIAL
BERNARDA RODRÍGUEZ BETANCUR

DISEÑO
CLAUDIA ACUÑA RODRÍGUEZ

INVESTIGACIÓN
ÁNGELA GARCÍA, RICARDO RODRÍGUEZ

TEXTOS
HELENA IRIARTE

REVISIÓN DE TEXTOS
ANDRÉS LONDOÑO LONDOÑO

FOTOGRAFÍA
ANDRÉS VALBUENA
2, 16, 79, 229.

LORENZO FONSECA
9C, 10, 13A, 13B, 13E, 32B, 33A, 34D, 37A, 38E, 54A, 54B, 55A, 55D, 62A, 62B, 67, 73A, 73C, 73F, 91B, 92B, 126A, 127B, 128B, 128C, 136C, 143, 144, 154B, 154D, 165, 166, 175D, 181A, 186, 188B, 188C, 188D, 189, 199, 202A, 203A, 203B, 203D, 216B, 224C, 236B, 238D, 239A, 239B, 249D, 252C, 252D, 265B, 267B, 268, 270, 274, 275, 277, 278C, 278D, 284, 285A, 285B, 285C, 320, 332A.

DORA FRANCO
38C, 73B, 111B, 200B, 202B, 203C, 217A, 224B, 238B.

ÁLVARO GUTIÉRREZ
3, 8, 9A, 9B, 9D, 13C, 13D, 14D, 25B, 38A, 38D, 39B, 53B, 55C, 57, 72, 73E, 78A, 116A, 152, 153, 159, 168, 170B, 175A, 195B, 204, 206, 215, 216A, 218, 219A, 220A, 220C, 220D, 224A, 224D, 232B, 237B, 249B, 250B, 252A, 267A, 278B, 280, 313, 318B.

ANDRÉS HURTADO
20, 28, 29, 31B, 31C, 231A, 236A, 238C, 239C, 239D.

FABIÁN ALZATE
14A, 14E, 18, 30, 31A, 34A, 39A, 51A, 77A, 242, 247, 288C, 290, 296B, 300B, 314, 324B.

GERMÁN MONTES
7, 23, 32A, 33B, 34B, 34C, 36, 37B, 37C, 37D, 38B, 38F, 39D, 49B, 51D, 51E, 53B, 54D, 55B, 56, 73D, 77, 90, 91A, 95B, 116B, 117, 120, 121, 125, 126B, 127A, 128D, 129, 130, 132A, 132C, 132D, 135, 136D, 137, 138, 139, 140B, 142A, 146, 148, 154A, 154C, 155, 167, 175C, 180, 185, 188A, 190, 220B, 226, 232A, 240, 249A, 249C, 250A, 251B, 253, 254, 257, 258, 261, 262, 263, 265A, 266, 269, 271, 276, 279, 281, 285D, 286, 287, 288A, 288B, 288D, 289, 293B, 295, 296A, 300A, 300C, 300D, 301, 302, 303, 311, 312A, 319, 323, 325, 328, 331, 332B, 332C.

SANTIAGO MONTES
40, 42, 45, 47, 49A, 50, 51B, 51C, 51F, 231B, 233, 234, 235A, 278A, 293A, 298, 299, 304, 305B, 312C, 333.

MIGUEL MORALES
14B, 14C, 21, 35, 39C, 54C, 66, 72, 92A, 105, 111A, 128A, 136A, 136B, 142B, 182, 184, 237A, 238A, 248, 273, 296C, 306, 312B, 315, 316, 317, 318A, 324A, 332D, 334, 335.

ANDRÉS LEJONA
GUARDAS, CONTRAGUARDAS, 4, 26, 63, 149, 150, 151, 156, 157, 160, 161, 162, 163, 169, 170A, 171, 172, 173, 176, 177, 178, 179, 191.

SAUL MESA
132B, 140A, 140C, 141.

MAURICIO ÁNJEL
80, 147B, 197, 198A, 200C, 201.

ÓSCAR MARTÍNEZ CARREÑO
81.

STEPHAN M. RIEDEL
118A, 119, 164, 183.

CARLOS H. ARANGO
327, 174.

FOTOCOLOMBIA.COM / CARLOS H. ARANGO, RAMIRO POSADA
97, 211, 264.

CÁMARA LÚCIDA
118B.

ARCHIVO I/M EDITORES
59, 61, 62C, 62D, 78B, 195A, 222, 223.

FOTÓGRAFOS COLABORADORES EN LOS CIUDADES DE MEDELLÍN Y BOGOTÁ
ÁLVARO GAVIRIA, LUIS FERNANDO OSPINA, CÁMARA LUCIDA, LEÓN DUQUE, NORA ELENA MÚNERA, MAURICIO OSORIO, ARMANDO MATIZ, ÓSCAR ÁLVAREZ.

FOTÓGRAFOS COLABORADORES EN EL CUBRIMIENTO DE PARQUES NACIONALES NATURALES, PÁGINAS 69 Y 71
CARLOS E. PORRAS, MARIO GONZÁLEZ, CARLOS CASTAÑO URIBE, THOMAS JUSZCZAK.

PREPRENSA
XPRESS ESTUDIO GRÁFICO DIGITAL LTDA.

IMPRESIÓN
D´VINNI LTDA.

© EDICIONES GAMMA S.A.
ISBN 958-9308-41-4

Prólogo

Colombia, avanzada esquina de Suramérica, tiene un mirador para el pasado y el presente sobre el Caribe, y una costa sobre el Pacífico, el mar del siglo XXI: Tronco original del bloque en que apoyó su acción y su gloria el Libertador Simón Bolívar, de Colombia se desprendieron, pasadas las guerras de Independencia, Venezuela y Ecuador. En la emancipación tuvo un papel de liderazgo y quedó, como Argentina en el sur, desempeñando un rol clave en la vida suramericana. Esto se impuso desde la época española cuando, con el desarrollo natural de las colonias, la Corona, que tuvo al comienzo el Virreinato único del Perú, creó finalmente dos nuevos: el de la Nueva Granada, con Santa Fe de Bogotá por capital, y el de Río de la Plata, centrado en Buenos Aires. Desde entonces, giró entre dos polos la vida política de esta parte del hemisferio.

Como vidas paralelas, Argentina y Colombia han crecido en forma muy distinta. Al tiempo que Buenos Aires, minúsculo puerto ciego por más de dos siglos, saltó a un crecimiento fabuloso en cuanto se abrió el comercio universal y vino la república, Santa Fe de Bogotá, que en 1800 apenas era de 20 mil habitantes, todavía en 1900 no llegaba a 100 mil. Los emigrantes europeos se precipitaron sobre Buenos Aires, en algunos casos más caudalosamente que sobre Nueva York y todos los Estados Unidos. De ser una gran aldea de gentes de pura cepa española, pasó a capital de los italianos en el Nuevo Mundo. En Bogotá, aún un siglo después de instalada la república, el hijo del no español era un raro extranjero. En parte se explica por ser Colombia país vertical, que crece en las alturas. Había más alemanes en Barranquilla o Bucaramanga a comienzos del siglo que en Bogotá. Y la población no aumentaba por gente venida de Europa, sino por el crecimiento de los viejos pobladores, multiplicándose en familias sin plan y sin medios. Bogotá no llegaba al millón de habitantes cuando Buenos Aires era la más grande ciudad de Hispanoamérica.

Hoy las metas de emigración no son las del siglo pasado. Colombia tiene una población mayor que la de Argentina, y por primera vez hay en Bogotá sinagogas, muchos templos protestantes, mezquitas. Como país vertical, con tres cordilleras que dominan su geografía de gran relieve de sur a norte, la aviación ha cambiado la vida. Hoy, en una hora se llega de Barranquilla a Bogotá por el aire, viaje que hace cincuenta años era de dos semanas y más, por agua de ríos y caminos de piedra para mulas. En Colombia el correo aéreo se inició en 1919 y el movimiento de pasajeros y carga, desde entonces, es mayor proporcionalmente que en todos los demás países. También en esto del relieve hay que comparar la república del norte andino con la Argentina horizontal de las pampas, que los ingleses cubrieron con una red de ferrocarriles.

Como en Colombia había que ir a paso de mula, con paradas en el camino, se fueron formando los pueblos, de donde resultan las ciudades de hoy. La república ha tomado el carácter de un país de ciudades. Hay mil municipios formados en todos los niveles, desde los que están al nivel del mar hasta los asentados a tres mil metros de altura. A diferencia del país de estaciones que es Argentina, en donde el frío o el calor se registran siguiendo el calendario, en Colombia se dan las estaciones saliendo de la costa y los valles a los altiplanos, con el chofer al volante y el mapa vial a la vista. En una o dos horas se puede pasar de una ciudad ardiente –Cartagena, Buenaventura o Santa Marta– a una helada –Tunja, Bogotá, Pasto–, con primaveras u otoños al gusto, y paisajes que van del plátano y la palma de coco y el árbol llamado Macondo al frailejón de plateadas hojas de felpa. Trepando más a los páramos, las sementeras de papa tienen unas tímidas flores azulencas.

Tan impresionante es lo de la verticalidad colombiana que el viajero, desde los tiempos de Humboldt y el sabio Mutis de la Expedición Botánica hasta los expertos de turismo de hoy, señala algo que impresiona a todo visitante: la historia natural de Colombia es más atractiva, apasionante y espectacular que la política. En una y otra hay poesía y violencia. Políticamente no hay en el registro de la evolución hispanoamericana otra república tan hondamente nacida para la vida civil como Colombia, y es un espectáculo el nacimiento de la república orientada hacia la democracia representativa, en la entraña misma del cuartel general de los ejércitos bolivarianos. Francisco de Paula Santander, el fundador, cuyo segundo centenario de nacimiento se cumplió en 1990, lo dijo todo en una frase que hoy se reproduce en mármol en universidades y Palacios de Justicia aun más allá de Colombia: "Si las armas os han dado la independencia, las leyes os darán la libertad..." En contraste con este orden institucional, han surgido épocas de sangre y violencia, como las guerras civiles del ochocientos o las guerrillas de hoy, en buena parte unidas al comercio ilícito de las drogas. Pero la república no muere civilmente. En la historia natural, lo mismo son las flores y la fauna. Al fundar a Bogotá subieron los conquistadores avanzando por un río que era de caimanes, trepando las faldas de la cordillera por una tierra de tigres, cubierta de hojas, raíces, culebras venenosas y enormes arañas que se metían entre los dedos de los pies. Los hombres perdían la razón acostándose a la sombra de los borracheros. Todo esto lo vio hace cincuenta años José Eustasio Rivera, al escribir sobre la selva amazónica una novela cuyo título lo dice todo: *La vorágine*. En ella se cuenta de pececillos equívocos que en minutos devoran a un hombre y dejan el esqueleto flotando en el agua. Las hormigas tambochas avanzan destruyendo bosques. Hasta los sapos sudan veneno, que es mortal cuando se unta con ese sudor la punta de las flechas. Todo esto se encuentra en el mismo país de las orquídeas más extrañas y bellas del mundo, de los cafetales que se cubren de flores y perfuman los valles, caídas las flores. Son los racimos del grano, rojos hasta el morado oscuro, de donde se saca la bebida negra que se consume en todo el mundo.

Hoy, la violencia y la circunstancia de haber quedado incorporada Colombia al camino de la droga han difundido una imagen que más les ha sorprendido a los mismos colombianos que a los extraños. No creo que esta modalidad se afiance en un país que durante cinco siglos ha vivido de otra manera. La respuesta la dan un progreso no interrumpido que está a la vista en las grandes ciudades. Se construyen diques para llevar el agua a todas las aldeas, y se multiplican los recursos eléctricos en uno de los más ambiciosos planes de Suramérica. Y las industrias se multiplican. Bogotá no tenía hace cincuenta años sino una fábrica de cerveza y otra de vidrios. Se exportaban los cueros todavía con el pelo. Se importaban sillas de Viena, trajes de Londres, loza de Alemania, cristal de Bohemia, espejos de Venecia... y en caso de necesidad hasta huevos de Dinamarca. Hoy todo se produce y manufactura en Colombia. Medellín exporta telas de algodón a Estados Unidos, las editoriales hacen libros para Italia y la India, se fabrican zapatos y carteras para Europa, Bogotá es la ciudad industrial más grande de Colombia pero Medellín, Cali, Barranquilla no son menos, y las fábricas se multiplican hasta en pequeños municipios. Y la exportación de flores crece en proporciones que no se sospechaban.

Hay una presentación de la pintura, la música, la danza, la literatura colombiana en todo el mundo, que sorprende a quienes no encuentran en los diarios sino la información de la cocaína y los secuestros... cuyo origen es internacional.

Hoy tiene Bogotá la población de Nueva York hace setenta años. Un colombiano, García Márquez, ha recibido el premio Nobel en letras. En los veranos, Cartagena es el paraíso para los turistas canadienses. Al Festival de Teatro de Bogotá llegan los espectáculos mejores de América, Europa y el Japón. En las plazas de toros de Bogotá, Manizales y Cali alternan los diestros nativos con españoles y mexicanos. Al Festival de Música de Popayán llegan virtuosos de dos continentes. Colombia, desconocida y remota en el siglo pasado, está en el mapa del mundo.

Germán Arciniegas

Presentación

ienvenidos a Colombia, este bello país tropical de Suramérica que ofrece gran variedad de contrastes, tanto en sus deslumbrantes paisajes, como en las costumbres de sus habitantes y en la inmensamente rica biodiversidad de su fauna y de su flora. La cordillera de Los Andes, que al ingresar al país se divide en tres gigantescos ramales; el litoral Caribe, con la imponente Sierra Nevada de Santa Marta; la costa Pacífica, de selvas inexploradas; la Orinoquía y la Amazonía, territorios vírgenes y agrestes, son las regiones naturales que brindan innumerables recursos y, con su gente amable, cálida, hospitalaria y trabajadora, constituyen el patrimonio más importante de Colombia hoy.

El libro que Ediciones Gamma tiene el gusto de presentarles, ofrece una visión general del país; comienza con una muestra de su rica geografía y continúa con su interesante proceso histórico a partir del poblamiento en estas latitudes; ilustra las fascinantes culturas precolombinas que desarrollaron refinadas técnicas de alfarería y orfebrería y analiza los períodos colonial y republicano con su impresionante legado arquitectónico, hasta llegar a la Colombia actual, en ocasiones pujante y a veces tradicional.

En cada una de las ocho regiones en que está dividida la obra se pueden apreciar en detalle el paisaje, los recursos naturales, la producción agrícola, minera e industrial, la gente y el acelerado y contradictorio desarrollo de sus ciudades. Quedan así plasmadas, la aún vigente diferencia entre campo y ciudad, como también la gran diversidad de culturas, costumbres, tradiciones, hábitos de trabajo y alimentación, y las formas que asume la vida cotidiana en nuestro país, cuya pluralidad es quizás única en el mundo.

Para tener una visión actual de Colombia, hemos contado con un trabajo fotográfico de alta calidad, así como con una seria investigación acerca de cada una de las regiones de país. Para facilitar la consulta, hemos trabajado la información de las diferentes secciones del libro con un esquema que introduce el tema mediante un texto escrito y luego desarrolla una secuencia fotográfica acompañada con pies de fotos explicativos. De esta manera se ha logrado una excelsa obra para leer y para mirar.

Naturalmente, no podemos pretender el cubrimiento de todos los aspectos relacionados con el país, puesto que se trata de un territorio de gran extensión y variedad.

Por último, queremos agradecer a todas aquellas personas y entidades que colaboraron con esta publicación, en especial a las que con una información detallada sobre sus actividades, ayudaron a enriquecer el material que presentamos y que intenta mostrar, en lo posible, la realidad el país. Esta es Colombia.

Territorio
de contrastes

Visto desde el espacio aéreo, el territorio colombiano parece surgir de las aguas, cruzado por poderosas cadenas montañosas que, separadas por valles y grandes ríos, se abren en abanico y se prolongan hacia el norte. Al suroriente, el territorio se extiende en una inmensa llanura que conforma la Orinoquía y el espesor de la selva amazónica.

Localizada en la zona intertropical de la Tierra (entre los 12° 30' de latitud norte y los 4° 13' de latitud sur), Colombia pertenece en sus tres cuartas partes al hemisferio norte. Comparte fronteras con Panamá, Venezuela, Brasil, Perú y Ecuador. Tiene una superficie de 1'184.868 km^2 incluido el territorio insular y se ubica en el cuarto lugar en extensión entre los países del subcontinente, después de Brasil, Argentina y Perú. Es el único país suramericano que posee costas sobre los dos océanos. Posee varias islas, entre las que se destacan el archipiélago de San Andrés y Providencia en el Caribe, y Gorgona, Gorgonilla y Malpelo en el Pacífico. Por cuenta de sus posesiones insulares tiene límites marítimos con países tan alejados de su territorio continental como Costa Rica, Nicaragua, Honduras, Jamaica, República Dominicana y Haití.

Colombia posee una porción de la Amazonía −región considerada el pulmón más grande del planeta−. cuyo territorio, de cinco millones de km^2 de selvas, lo comparte con Venezuela, Brasil y Perú. La Orinoquía, conformada por las vastas llanuras del oriente colombiano, se prolonga hasta la frontera con Venezuela.

Su ubicación geográfica como punto de encuentro entre las tres Américas, el hecho de ser un territorio abierto a los dos océanos más grandes del mundo y la particularidad de ser, a un tiempo, un país caribe, andino, llanero y amazónico con riquezas naturales que representan grandes posibilidades de explotación, hacen de Colombia un país privilegiado.

Páginas 16-17: **Valle de los Cojines, Sierra Nevada del Cocuy.**

Páginas 18-19: **atardecer en el océano Pacífico.**

Página 20: glaciar en el Parque Nacional Natural Los Nevados.

Página 21: estratovolcán Nevado del Tolima, con altitud de 5.215 metros. Forma parte del Parque Nacional Natural Los Nevados.

que tiene una extensión de unos 600 km, en territorio colombiano, continúa su recorrido en Venezuela donde recibe el nombre de río Negro. En la zona limítrofe con Brasil, el Caquetá recibe el cauce de su mayor afluente colombiano, el Apaporis, cuya extensión es de 1.200 km. El Putumayo nace en el Nudo de los Pastos, recibe las aguas del Guamués, su afluente más importante, y desemboca en el Amazonas en territorio brasileño. Su extensión es de 1.800 km; forma parte de la frontera con Ecuador y constituye la totalidad de la frontera colombiana con Perú.

Clima

Aunque el territorio colombiano se encuentra en la franja intertropical, el sistema montañoso andino le confiere una variedad topográfica que abarca desde las selvas húmedas y llanuras tropicales al nivel del mar, hasta los páramos y nieves perpetuas. La posición geoastronómica de Colombia le permite disfrutar de una radiación solar más o menos constante durante todo el año, razón por la cual el día y la noche tienen duraciones similares y las variaciones climáticas están determinadas por la altitud, por el efecto de los vientos alisios, por las lluvias y la humedad.

De acuerdo con la altitud, el sistema montañoso colombiano se divide en cuatro grandes franjas o pisos térmicos –cada 1.000 m de altura, se incrementan unos 6 °C–: cálido (de 0 a 1.000 msnm) con temperaturas medias sobre los 25 °C, comprenden un 80% del país; templado (de 1.000 a 2.000 msnm) con temperaturas medias entre los 18 y 24 °C, cubre el 10% del territorio; frío (entre 2.000 y 3.000 msnm) con temperaturas medias entre los 12 y 18 °C, constituye el 8% del territorio; páramo (más de 3.000 msnm), con temperaturas medias inferiores a los 12 °C, conforma el 2% del territorio colombiano.

Existen en Colombia grados muy diversos de pluviosidad; dentro del perímetro nacional se encuentran regiones como el Chocó, en la costa Pacífica, donde se registran niveles de lluvia (7.000 mm anuales) y humedad que están entre los más altos del planeta, y regiones como La Guajira, en el extremo nororiental, con

clima desértico y de estepa, vegetación espinosa, temperaturas elevadas y escasa lluviosidad (400 mm anuales).

Regiones naturales

En el territorio colombiano es posible diferenciar cinco regiones geográficas naturales caracterizadas por su particular conformación física, climática, de suelos y de vegetación:

Región Caribe

Zona del litoral norte y de vastas llanuras interiores que se ubican entre el mar Caribe y las últimas estribaciones septentrionales de los Andes. El terreno es suavemente ondulado –exceptuando la Sierra Nevada de Santa Marta–, con alturas que no sobrepasan los 300 msnm. Abundan los ríos, las quebradas, las ciénagas, los caños y los brazos fluviales, así como los playones y vegas inundables, cuyas formas y tamaños varían considerablemente. El clima es cálido y el suelo, en partes semiárido, llega a ser desértico en buena parte de la península de La Guajira.

En la región Caribe están situados los departamentos de La Guajira, Cesar, Magdalena, Atlántico, Bolívar, Sucre, Córdoba y la parte norte de los departamentos de Antioquia y Chocó, con ciudades como Cartagena, Santa Marta, Barranquilla, Riohacha, Valledupar, Sincelejo, Montería y Mompox y con un territorio insular conformado por San Andrés y Providencia, las islas del Rosario y de San Bernardo y varios islotes y cayos.

Región del Pacífico

Con su agreste franja costanera poblada de selvas y manglares, es una de las zonas más lluviosas y húmedas de la Tierra. Se extiende a lo largo de 1.300 km entre las fronteras con Panamá y Ecuador. Este litoral lo comparten los departamentos de Chocó, Valle, Cauca y Nariño. La región, escasamente poblada, tiene sólo una ciudad económicamente activa: Buenaventura, el puerto marítimo más importante del país. El segundo puerto de este litoral es Tumaco, en Nariño. A la región pertenecen las islas de Gorgona, Gorgonilla y Malpelo.

Página 25: **en Colombia se encuentra una extensa porción de la Amazonía, la densa e impenetrable selva que es el gran pulmón de la Tierra y la zona que posee un mayor número de especies vegetales y animales.**

REGIÓN ANDINA

Abarca el territorio de las tres cordilleras, es la más densamente poblada y la que ha alcanzado un mayor grado de desarrollo económico y social. Entre las principales ciudades de la región andina se cuentan Bogotá, capital de la República, Medellín, Cali, Popayán, Pasto, Manizales, Pereira, Armenia, Neiva, Ibagué, Tunja, Bucaramanga y Cúcuta.

LLANOS ORIENTALES Y ORINOQUÍA

Comprenden los departamentos de Arauca, Casanare, Meta y Vichada. Tanto los llanos de Colombia como los de Venezuela conforman las llanuras del Orinoco. La región se encuentra muy poco habitada y la mayoría de los asentamientos se concentran en el piedemonte de la cordillera Oriental, como es el caso de Villavicencio –"La puerta del Llano" y capital del departamento del Meta–, Acacías, Villanueva, Yopal y Tame. Últimamente, los yacimientos petroleros encontrados en Arauca y Casanare han orientado procesos de colonización hacia la Orinoquía, lo que hace prever que éste llegue a ser un polo de desarrollo en el futuro próximo.

AMAZONÍA COLOMBIANA

Es más extensa que los Llanos Orientales y está menos poblada que ésta. Cobija el territorio de los departamentos de Caquetá, Putumayo, Guaviare, Vaupés, Guainía y Amazonas, con una superficie de 421.900 km². Entre su población se cuentan cerca de 500.000 indígenas dispersos en numerosas comunidades ubicadas cerca de los ríos que surcan la selva amazónica. La población restante está integrada por colonos llegados de todos los rincones de país. La región tiene una gran pluviosidad, un alto grado de humedad y el calor es constante a lo largo del año, circunstancias que la convierten en una zona difícil para la ganadería y la agricultura. Su centro económico y cultural más importante es la ciudad de Leticia, capital del departamento del Amazonas y puerto sobre el río del mismo nombre, en la frontera con Perú y Brasil.

Flora y fauna

Las características topográficas del territorio colombiano hacen del país un lugar privilegiado en materia de biodiversidad. Con menos del 1% de las tierras del planeta, Colombia comparte con Perú el tercer puesto en especies vivas después de Madagascar y Brasil y cuenta con la mayor diversidad de especies por hectárea. La ubicación de Colombia en el costado noroccidental de Suramérica convierte al país en paso obligado del intercambio faunístico y de los ciclos de migración entre Norte, Centro y Suramérica; asimismo, sus variadas características geográficas le confieren condiciones adecuadas para el surgimiento y desarrollo de gran cantidad de especies vegetales y animales.

Se estima que el país alberga una de cada cinco de las especies fanerógamas conocidas y posee más de la mitad de los páramos del mundo. Hasta el momento se han clasificado unas 130.000 plantas, de las que aproximadamente la mitad son endémicas. Colombia es famosa por sus flores (50.000 especies) entre las que sobresale la orquídea, la flor nacional, de la que hay unas 3.000 variedades.

Además, el país da cabida al 15% de los vertebrados terrestres y ocupa el primer lugar en el mundo en cuanto a diversidad de aves: cerca de 1.800 especies de las más de 9.000 que existen en el planeta. Se conocen unas 1.200 especies marinas, 1.600 de agua dulce y una enorme variedad de anfibios, reptiles, murciélagos, roedores e insectos, cuya clasificación y cuantía se encuentran aún en la fase investigativa; entre ellos llaman poderosamente la atención las mariposas –165.000 especies– y los coleópteros (escarabajos) con otras 350.000 variedades..

Acoge también la fauna típica de los bosques húmedos: jaguares, armadillos, monos, serpientes y diversas variedades de osos, entre los que se destacan el hormiguero y el de anteojos.

Páginas 25-27: **gracias a su posición geográfica, Colombia es el país que alberga el mayor número de aves en el mundo: alrededor de 1.800 especies y enorme riqueza marina. Así mismo posee alrededor de 130.000 plantas y 50.000 especies de flora.**

La cordillera Central es eminentemente volcánica y tiene alturas que sobrepasan los 5.300 metros; en ella se encuentran varios picos nevados como el Ruiz, el Santa Isabel, el Tolima y el Huila. En esta página: se aprecian dos aspectos del nevado del Ruiz: un casquete glaciar y el cráter Arenas, que tiene un diámetro de 760 metros y se encuentra en estado fumarólico, lo cual evidencia su continua actividad volcánica. En la página anterior: la Laguna Verde, en el Parque Nacional Natural Los Nevados, debe su color a emanaciones de azufre provenientes de los volcanes.

Colombia es uno de los pocos países del mundo que presenta el ecosistema de páramo, cuya función primordial es la de retener el agua, que se almacena en las lagunas donde nacen los principales ríos del país. En esta página: se aprecian varios aspectos de los páramos de la cordillera Oriental.

La selva andina se extiende entre los 2.000 y los 4.000 msnm; una de sus peculiaridades es la nubosidad que asciende diariamente y entra en contacto con el dosel arbóreo. Izquierda: interior de la selva andina en el Parque Nacional Natural Chingaza. Derecha, arriba: palma de cera, árbol emblemático de Colombia. Abajo: denso bosque altoandino en la cordillera Oriental.

Los altiplanos están localizados en las partes altas de las cordilleras entre los 2.400 y 2.600 msnm; la fertilidad de sus tierras los convierten en zonas de gran productividad. Arriba: el embalse del Neusa, en el altiplano cundiboyacense. Abajo: minifundios en el altiplano nariñense.

Parte del territorio de Boyacá corresponde al altiplano de la cordillera Oriental; es una zona ligeramente ondulada que se presta para los cultivos intensivos y la ganadería. Arriba: campo de cebada en las cercanías de la ciudad de Tunja. Abajo: el lago de Tota, localizado a una altura de 3.000 msnm, en cuyas orillas se produce la cebolla que abastece los mercados de Cundinamarca y Boyacá.

Colombia es un país rico en recursos hídricos, y por los profundos cañones que se han formado en sus tres cordilleras corren innumerables ríos y quebradas. Arriba: **el valle del río Magdalena, cerca de la población de Honda, y el cañón del Chicamocha, en el departamento de Santander.** Abajo: **el valle del río Cauca y un atardecer en el Amazonas.**

Página siguiente: **raudales de Pozo Azul, en San Gil, Santander.**

El piso térmico cálido en la zona tórrida abarca desde el nivel del mar hasta los 500 metros y se encuentra en desiertos, como la península de La Guajira, y en lugares de alta pluviosidad como las selvas del Chocó. Arriba: isla de San Andrés, en el mar Caribe y ensenada de Utría, en el océano Pacífico. Abajo: río Arauca, en los Llanos Orientales y cabo de La Vela, en la península de La Guajira. Página anterior: Bahía Neguange, en el Parque Nacional Natural Tairona.

Colombia es considerada uno de los países con mayor biodiversidad a nivel mundial. Esto se debe en gran parte a su privilegiada posición en la zona intertropical, lo cual hace posible que existan todos los pisos térmicos e infinidad de ambientes, donde se encuentran más de 50.000 especies vegetales, muchas de ellas endémicas.

En las fotografías se aprecia la abundancia del trópico: una guacamaya multicolor, piñas, un venado característico de las regiones de páramo, la orquídea —flor nacional—, un cocodrilo en su ambiente natural y la flor del platanillo.

El intercambio faunístico entre Norte, Centro y Suramérica contribuye a que el país tenga gran cantidad de aves —cerca del 20% de las existentes—, más de 3.000 especies de mariposas y el 8% de los mamíferos del planeta.

En las fotografías: flor del frailejón, planta característica de los páramos; un flamenco, ave migratoria que abunda en la costa Caribe; la victoria regia, el loto más grande del mundo, que se encuentra en la Amazonía; una mariposa de la familia Monarca; frutos de chontaduro y un colibrí, ave endémica de América, de la cual se encuentran 145 especies en Colombia.

De la leyenda
a la realidad

L a historia del territorio que hoy es Colombia se remonta a varios milenios antes del arribo de los españoles. La presencia del hombre americano –se sabe por los hallazgos arqueológicos– es el resultado de migraciones asiáticas que llegaron por diferentes vías y en distintas épocas. Los primeros pobladores penetraron al continente por el estrecho de Bering (entre la Siberia rusa y Alaska) hace unos 30.000 años, según los estimativos más conservadores, pues algunos autores afirman que pudo ser hace 100.000 años.

Estos grupos migratorios usaban en forma rudimentaria la piedra y eran cazadores y recolectores de frutos silvestres. Se expandieron por América y por el territorio de la actual Colombia, siguiendo muy probablemente el curso de los grandes ríos en cuyas riberas habitaban los animales que constituían su dieta. Los vestigios más antiguos de estos paleoindios en nuestro país se han encontrado en la región Andina, en El Abra, cerca de Zipaquirá (Cundinamarca), y en inmediaciones del Salto del Tequendama, en las cercanías de la sabana de Bogotá, de fechas distantes, unos 13.500 años de nuestros días.

Hacia el año 3500 a.C., las migraciones buscaron las costas, las lagunas y los ríos, ampliaron su dieta y gracias al inicio de la agricultura comenzaron a hacerse sedentarios. La introducción del maíz y el fríjol, junto al producto de la caza y la pesca, le proporcionó al hombre primitivo un excedente de tiempo, indispensable para la aparición de nuevas actividades como la elaboración de textiles, el trabajo de los metales, el desarrollo del arte cerámico y las técnicas de construcción de viviendas. Se lograron diversas formas de organización social y política y se intensificaron el culto religioso y el conocimiento astral. Este proceso se prolongó, al parecer, hasta el año 1000 a.C., cuando gracias a la llamada "colonización maicera" se inició el poblamiento de las zo-

Páginas 40-41: en Tierradentro, Cauca, se encuentran hipogeos –tumbas de foso– ricamente ornamentados, con figuras geométricas pintadas sobre los muros de las cámaras mortuorias.

Páginas 42: templete funerario de la cultura de San Agustín, cuyos monolitos fueron tallados en piedra volcánica.

nas altas de los Andes que dio paso a sociedades más complejas y a federaciones de aldeas tan importantes como las de los muiscas y taironas, que habían alcanzado gran desarrollo en la época del descubrimiento de América por los europeos.

Culturas orfebres

Una característica común a todas las culturas precolombinas del país fue su trabajo metalúrgico, particularmente del oro, que ha despertado la admiración del mundo por la depurada calidad de los diseños y las avanzadas técnicas con las cuales plasmaron la riqueza del entorno tropical donde se desenvolvieron. Basados en los estilos, los especialistas han logrado identificar dos grandes zonas culturales: una, la más antigua, corresponde a las culturas del suroccidente colombiano y abarca una extensa zona que va desde La Tolita, en la costa norte del Ecuador, hasta la zona arqueológica Quimbaya. Las culturas indígenas que comprende esta zona son: Tumaco, Nariño, Tierradentro, San Agustín, Calima, Malagana, Tolima y Quimbaya, que produjeron piezas de oro con estilos diferenciables pero elaboradas principalmente mediante la técnica del martillado y el repujado sobre láminas de oro fino.

En la segunda zona, que comprende las regiones montañosas del centro-oriente y del norte del país y las llanuras del Caribe, habitaron grupos de culturas avanzadas: zenúes, muiscas y taironas. En las técnicas orfebres sus preferencias se centraron en la fundición de la cera perdida, en un mayor empleo de la "tumbaga", aleación de oro y cobre, y en el dorado por oxidación.

TAIRONA

Los taironas de la Sierra Nevada de Santa Marta comenzaron a consolidarse desde los primeros siglos de nuestra era y alcanzaron su máximo esplendor hacia el año 1000, agrupando numerosos núcleos urbanos donde construyeron terrazas, muros de contención, canales, caminos, escaleras y cimientos de viviendas, de los cuales se han descubierto cerca de 200 asentamientos. Fueron destacados tejedores y ceramistas y su orfebrería se distingue por estar elaborada en "tumbaga", fundida con adornos de diseños recargados. Los taironas perte-

necían a la familia lingüística chibcha y mantenían relaciones de intercambio con las comunidades de las zonas bajas, de las cuales adquirían el oro que no tenía la Sierra.

SINÚ

La cultura aborigen más antigua de las conocidas actualmente tuvo por hábitat la extensa zona de las llanuras de la costa Atlántica; allí establecieron las primeras aldeas en territorio colombiano los indígenas zenúes, que ocuparon los valles de los ríos Sinú, San Jorge, Cauca y Nechí. Drenaron las zonas inundables con un sistema de canales artificiales que cubría 500.000 hectáreas de tierras cenagosas y que funcionó durante 2.000 años. Este asombroso complejo de ingeniería hidráulica no sólo les permitió controlar el régimen de inundaciones, sino que les proporcionó abundante alimentación de origen animal, riego y fertilización de las áreas de cultivo para una población en crecimiento. Su territorio estaba dividido en tres grandes provincias gobernadas por caciques emparentados. Su producción orfebre es rica en figuras notablemente realistas y en los diseños de "falsa filigrana".

MUISCA

De lengua chibcha como los taironas, los muiscas se expandieron por el altiplano oriental andino desde el año 600 de nuestra era, organizados en cacicazgos que estaban bajo la jurisdicción del Zipa de Bacatá y del Zaque de Tunja. Los muiscas obtenían el oro intercambiándolo por sal, mantas y esmeraldas, con los habitantes de las zonas bajas. El uso de la "tumbaga" se explica precisamente por la carencia del metal precioso. Las piezas de orfebrería de los muiscas, elaboradas preferentemente con propósitos votivos, son abundantes y se caracterizan por su acabado geométrico. Estos objetos, llamados "tunjos", se han encontrado en el altiplano y en las ruta hacia el río Magdalena.

Los santuarios donde se depositaban las ofrendas se localizaban en lugares apartados, de gran belleza natural y difícil acceso. Las lagunas eran los más importantes y servían de escenario para las celebraciones solemnes; la laguna de Guavita era el lugar donde

Página 45: **alcarraza de cerámica, Señorío de Malagana, Valle del Cauca.**

recibía su investidura el nuevo cacique, ceremonia que originó la leyenda de El Dorado. Las ofrendas se entregaban a los sacerdotes, que hacían de intermediarios entre los hombres y los dioses.

TUMACO

Los antiguos habitantes de Tumaco tuvieron una organización social variada y estable. Sus viviendas estaban construidas sobre palafitos, en las islas formadas por los esteros de la costa del Pacífico. Testimonios de su vida nos han llegado a través de estatuillas de cerámica que representan personajes adornados, mujeres, niños, ancianos, viviendas y animales. Las figuras humanas muestran una acentuada deformación del cráneo, símbolo de distinción, que lograban amarrando dos placas de cerámica o madera sobre las partes anterior y posterior de la cabeza de los niños. Explotaron yacimientos auríferos y martillaron y repujaron el oro para producir máscaras, pectorales y figuras de cráneos alargados. Conocieron la soldadura por fusión y aprovecharon las propiedades de la plata y el platino.

CALIMA

Los ríos que descienden de la cordillera Occidental sirvieron de acceso a las tierras andinas. La comunidad Calima ocupó las riberas de los ríos Dagua y Calima, que atraviesan la vertiente de la cordillera que desciende hasta el curso medio del río Cauca. Grupos sedentarios cultivadores de maíz poblaron el área conocida como Calima en el Valle del Cauca. Desde los primeros siglos de nuestra era hasta el año 1000, construyeron terrazas para vivienda, canales de drenaje y caminos para llevar a cabo sus intercambios comerciales con la costa del Pacífico. Sus tumbas, de diferentes tamaños, y la diversidad de los ajuares funerarios, algunos de ellos con abundantes piezas de oro y cerámica, muestran una marcada diferencia social. Utilizaron el repujado y el martillado para fabricar numerosos adornos de gran tamaño. También dominaron las técnicas de fundición de los metales.

SAN AGUSTÍN

Esta zona arqueológica, la más importante del país, se encuentra en el Macizo Colombiano, distribuida en un área de cerca de 500 km^2. Pocos siglos antes de nuestra era, los antiguos agustinianos poblaron un extenso territorio en el que construyeron terrazas para vivienda y cultivo, canales y montículos artificiales. Debajo de estos montículos se encuentran estatuas monumentales y tumbas revestidas de pesadas lajas, sarcófagos con ricos ajuares de oro y asombrosas esculturas de piedra. Fue una sociedad compleja, cuya fuerza se expresa en los rasgos de las estatuas que representan seres humanos con atributos monstruosos, que alternan con jaguares, aves rapaces y serpientes. Su privilegiada ubicación geográfica les permitía usar numerosas rutas fluviales que los comunicaban con regiones tan apartadas como la Amazonía, la costa del Pacífico y los valles del Cauca y del Magdalena.

TIERRADENTRO

En inmediaciones del Macizo Colombiano, la rica región natural y estrella fluvial de Colombia, surgió la cultura de Tierradentro, que dejó sus huellas en el núcleo de vestigios arqueológicos que comprende los actuales municipios de Inzá y Belalcázar y, en especial, los alrededores de San Andrés de Pisimbalá, donde se construyó un Parque Arqueológico. Esta zona es conocida por sus monumentales tumbas con cámaras subterráneas –los hipogeos– decoradas con pinturas y figuras antropomorfas y zoomorfas, donde colocaban entierros con máscaras, pectorales y orejeras de oro, sobresalientes por su depurada calidad técnica.

NARIÑO

Entre los años 800 y 1000 de nuestra era, el altiplano nariñense, en el extremo suroccidental del país, fue habitado por la cultura Capulí, que enterraba a sus muertos con ricos ajuares de oro en tumbas de cámara lateral de hasta 20 metros de profundidad. Esta cultura mantenía estrechas relaciones comerciales con los pobladores de la vertiente amazónica y del litoral Pacífico, de quienes obtenían las hojas de coca indispensables para su vida diaria. La planicie nariñense también fue habitada desde el siglo VII hasta el VIII por la cultura Piartal, notable por sus avanzadas técnicas metalúrgicas y su producción de cerámica y textil. Esta cultura, antecesora de los Pastos, quienes dominaban la zona a la llegada de los españoles, construía sus viviendas en los filos de las montañas y elaboraba objetos de cerámica, madera, textiles y piezas de orfebrería singulares por su perfección.

Se cree que el "Infiernito" en las cercanías de Villa de Leyva fue un observatorio astronómico de los muiscas,

uno de los grupos indígenas más avanzados del territorio de la actual Colombia.

TOLIMA

Esta región, localizada en las tierras cálidas del valle medio del río Magdalena, fue una importante zona de paso e intercambios comerciales. La cultura Tolima explotaba los ricos aluviones auríferos del río Saldaña y de zonas cercanas. Su considerable riqueza mineral le permitió una vasta producción metalúrgica y un amplio intercambio económico con las culturas vecinas, en particular con los muiscas y quimbayas. Además de su producción orfebre, la comunidad Tolima dejó abundantes objetos de cerámica, entre los que sobresalen urnas y vasijas funerarias.

QUIMBAYA

Localizada en las vertientes medias del valle del río Cauca, esta región estuvo habitada, hasta el primer milenio de nuestra era, por un grupo humano que produjo una orfebrería de gran calidad en sus técnicas y diseños. Los quimbayas utilizaron el oro en aleación con el cobre para lograr acabados con distintas tonalidades y fabricaron piezas fundidas, macizas y huecas, conocidas con el apelativo de "Quimbaya clásico", que son muy apreciadas mundialmente por su perfección y belleza.

A fines del siglo antepasado se encontró en la región del Quindío un tesoro que por la calidad de sus objetos fue seleccionado como "emisario de honor" de la delegación colombiana en la exposición que, con motivo del Cuarto Centenario del Descubrimiento de América, se celebró en España. El "Tesoro Quimbaya" fue obsequiado posteriormente por el gobierno colombiano a la Corona española en reconocimiento a su gestión mediadora en el diferendo limítrofe de Colombia con Venezuela. Desde entonces reposa en el Museo de las Américas de Madrid.

EL SEÑORÍO DE MALAGANA

A finales de 1992, un hallazgo casual abrió un capítulo inédito de la historia arqueológica colombiana. En el Valle del Cauca, donde hoy reina la caña de azúcar, vivió hace 2.000 años una sociedad indígena hasta ahora desconocida: el Señorío de Malagana. El arte y la tecnología de sus objetos de oro y su cerámica ponen de manifiesto un elaborado pensamiento simbólico y la dimensión de su sociedad jerarquizada. Según las fechas aportadas por los análisis arqueológicos, entre los años 240 a.C. y el 70 d.C., la gente de Malagana compartía una época de esplendor en medio de una intensa red de intercambios con las culturas vecinas Quimbaya, Calima, Tolima, San Agustín, Tierradentro, Nariño y Tumaco.

Los vestigios materiales de estas culturas precolombinas, como osamentas, ofrendas votivas y funerarias, y artefactos de caza, pesca y recolección pueden apreciarse en el Museo Nacional y en la Casa del Marqués de San Jorge en la ciudad de Bogotá. El visitante puede admirar, además, el estupendo legado orfebre de estas culturas en el Museo del Oro del Banco de la República en Bogotá, donde se conserva una impresionante colección de más de 33.000 piezas. En el resto del país existen otros museos arqueológicos dedicados a resaltar los valores autóctonos y el mismo Banco de la República ha distribuido su colección en varias sucursales del país; efectúa, además, exhibiciones internacionales para dar a conocer al mundo el rico legado prehispánico de Colombia.

Descubrimiento y Conquista

Poco tiempo después del descubrimiento de América por el almirante Cristóbal Colón en 1492, comenzaron las exploraciones en tierra firme y el reconocimiento del litoral Caribe del territorio colombiano.

Aún en vida del Almirante, otros expedicionarios obtuvieron licencias de la Corona española –capitulaciones– para explorar las islas y tierras americanas. Así, luego de recorrer la costa Atlántica desde La Guajira, el español Alonso de Ojeda fundó San Sebastián de Urabá en 1509, en el noroccidente colombiano, la primera localidad erigida por europeos en estos terri-

Página 49, arriba: **cuevas habitadas en el período paleoindio, departamento de Cundinamarca.**

Abajo: **detalle de un retablo colonial en la iglesia de Santo Domingo, Tunja.**

En muchos lugares de Colombia es posible apreciar las maravillosas manifestaciones de las culturas precolombinas.

En la página anterior: Ciudad Perdida, en la Sierra Nevada de Santa Marta.

En esta página: monolitos de San Agustín; tunjo de oro de la cultura Muisca; escalera de acceso a un hipogeo de Tierradentro; pectoral de la cultura Calima; urnas funerarias; pectoral antropozoomorfo, cultura Tairona.

torios. En 1510, Vasco Núñez de Balboa fundó Santa María la Antigua del Darién, desde la cual emprendió la expedición que lo llevaría a descubrir el océano Pacífico el 1° de septiembre de 1513, llamado entonces "la otra mar" o "mar del Sur".

En 1525 Rodrigo de Bastidas fundó Santa Marta, la ciudad actual más antigua del país, y descubrió la desembocadura del río Magdalena. Fue entonces, remontando las aguas del río "grande", cuando los españoles comenzaron la conquista del interior del país, impulsados por el espejismo de El Dorado, el mítico paraje del oro, que era en realidad la tierra de los muiscas donde abundaba la sal.

Varias de las principales ciudades colombianas actualmente existentes fueron fundadas por esos años: Cartagena de Indias en 1533, por Pedro de Heredia; Cali y Popayán en 1536 y Pasto en 1539, por Sebastián de Belalcázar; Santafé de Bogotá en 1538, por Gonzalo Jiménez de Quesada. Con epicentro en estos lugares se emprendió una exploración sistemática del territorio de la Nueva Granada, como se bautizó a estas comarcas por su parecido con la Granada española, de donde era originario Jiménez de Quesada.

La Conquista se caracterizó por el saqueo de la riqueza aborigen, por la imposición de las costumbres y creencias españolas y por la explotación de la mano de obra indígena, conjunto de circunstancias que dio origen a la "leyenda negra" y que diezmó rápidamente las poblaciones nativas. Este fenómeno motivó la introducción de fuerza de trabajo negra proveniente de África, traída al Nuevo Mundo bajo el régimen de la esclavitud. El trabajo de los negros se utilizó en un comienzo en las minas y plantaciones, por su mayor resistencia y rendimiento, con lo cual entró en escena la raza africana como tercer pilar de América y del mestizaje racial y cultural que hoy día caracteriza a Colombia.

La Colonia

La anarquía e improvisación que se observó en las primeras décadas de la ocupación española se debía en gran parte a la dificultad que tenía el Consejo de Indias para regir desde la lejana España las tierras descubiertas. Esto dio pie a una nueva legislación y a una nueva concepción del gobierno, que cimentó las bases de lo que se conoce como la Colonia.

Una vez conquistados los territorios y asentados los españoles en ciudades y poblados, había que consolidar lo conseguido hasta entonces. En 1557, en consecuencia, se instaló en Santafé de Bogotá la Real Audiencia del Nuevo Reino de Granada. El desarrollo de las colonias americanas, con el arribo de notables y letrados, propició la creación de los primeros centros de educación superior donde los descendientes de los españoles, los "criollos", recibían ilustración en las artes, las ciencias y el pensamiento filosófico imperantes en Europa. Paulatinamente se fue conformando un sistema vial que permitía la comunicación de las distintas provincias y se desarrolló una importante actividad económica centrada en la explotación minera de sal, carbón, oro y esmeraldas y posteriormente en torno de los cultivos de caña, quina, añil y tabaco.

Constituida en Virreinato desde 1739, la Nueva Granada, junto con Perú y Nueva España (México), proveía de enormes riquezas a la Corona española. El puerto de embarque de los tesoros neogranadinos era Cartagena de Indias, sobre el mar Caribe. Esta circunstancia hizo de su plaza un lugar codiciado por piratas y corsarios y explica la particular arquitectura de ciudad fortificada con que se dotó y que hoy día le confiere su singular belleza, por la que fue declarada Patrimonio Universal de la Humanidad.

Una de las realizaciones culturales más destacas durante la Colonia en Colombia fue la Expedición Botánica –el inventario de las riquezas naturales y de las ventajas de la Nueva

Página 53, arriba: **deidad solar, San Agustín, Huila.** Abajo: **el Museo del Oro del Banco de la República tiene la colección de orfebrería precolombina más grande del mundo, con más de 33.000 piezas. Figura antropomorfa de la cultura Cauca.**

Granada para el comercio exterior– encomendada a la dirección del médico y sacerdote español don José Celestino Mutis. Entre 1783 y 1816 Mutis y un grupo de colaboradores se dieron a la tarea de explorar la ancha topografía, mineralogía, medicina, zoología y botánica, entre otras ramas de la ciencia, y diseñar las vías de desarrollo del país.

Pero la labor de la Expedición Botánica terminó mal. Interrumpida por la muerte de Mutis en 1808 y luego por las guerras de Independencia (1810-1819), la Expedición se vio truncada y todas sus colecciones e instrumentos fueron empacados en baúles y enviados a Madrid en 1816 durante la "Facificación" que Pablo Morillo realizó en suelo colombiano, luego de la declaración de Independencia de 1810. Durante esta época caerían sacrificados muchos de los miembros de la misión científica, como Francisco José de Caldas, Jorge Tadeo Lozano y Salvador Rizo, y otros serían desterrados, como Francisco Antonio Zea y Pedro Fermín de Vargas.

El ambiente cultural de finales del siglo XVIII en la Nueva Granada era de gran actividad y entusiasmo. Varias tertulias animaban la vida santafereña en donde se conocían las producciones literarias y científicas locales y extranjeras, y el periodismo permitía divulgar las noticias del exterior y de las distintas regiones de la Nueva Granada, creando así una "corriente de lectura" que esparcía las luces de la Ilustración europea y las nuevas de la Independencia norteamericana. La imprenta también estuvo activa en esta época. *Los derechos del hombre y del ciudadano*, redactados por la Asamblea Constituyente de Francia (1789), fueron traducidos y reproducidos por Antonio Nariño en su Imprenta Patriótica, lo que le valió el destierro. El barón de Humboldt, en la visita que realizó a la Nueva Granada en 1801, pudo constatar el ánimo independentista de los neogranadinos, el inconformismo frente las políticas de la Corona española y al mismo tiempo el notable avance de los estudios naturalistas.

La Colonia española dejó en muchas ciudades colombianas magníficos ejemplos de arquitectura civil, religiosa y militar:

campanario de la iglesia de la plaza mayor en Villa de Leyva; balcón de una casona de Cartagena de Indias; claustro del convento

del Santo Ecce Homo en las cercanías de Villa de Leyva; plazoleta Rufino José Cuervo en el barrio La Candelaria, en Bogotá.

Muralla ⊃ Cartagena de Indias; patio central del convento de San Francisco en Santiago de Cali; representación del diablo en el portón de una casa colonial en Cartagena de Indias; callejuela en Honda, puerto sobre el río Magdalena.

La Independencia

En los albores del siglo XIX comenzaron a soplar vientos independentistas en todo en continente americano.

El 20 de julio de 1810 se dio el grito de Independencia en Santafé, tras lo cual se constituyó una junta provisional de gobierno. Poco después de haber estallado la revuelta en diferentes lugares, llegó a territorio colombiano el venezolano Simón Bolívar, quien luego de iniciar la lucha armada en su patria y ser derrotado, se unió a los ejércitos de la Nueva Granada.

La derrota de Napoleón Bonaparte en 1813 reinstauró monarquías despóticas en Europa, como la de Fernando VII en España, quien en un intento desesperado por recuperar los dominios perdidos de ultramar envió, al mando de Pablo Morillo, una poderosa expedición militar con el propósito de reconquistar los territorios sublevados. Llegó a Venezuela en 1815 y empezó una campaña de terror que le ganó a Morillo el mote de "el Pacificador". Instaurado Juan Sámano como nuevo virrey de la Nueva Granada, el terror se extendió por el suelo patrio y muchos de los rebeldes, en su mayoría comandados por la joven intelectualidad neogranadina, perdieron la vida en los paredones y en los campos de batalla.

No obstante los éxitos iniciales del ejército español en su campaña de reconquista, en 1819 se libraron varias batallas que terminaron con la derrota de los peninsulares. Entre éstas se destacan las batallas del Pantano de Vargas, en las inmediaciones de Paipa (Boyacá) y la batalla del Puente de Boyacá, que fue decisiva para sellar la libertad el 7 de agosto. Días después el ejército libertador, encabezado por Bolívar y Santander, hizo su entrada triunfal a Santafé.

Arriba: **máxima expresión de la ingeniería militar de España en América es el castillo de San Felipe de Barajas, construido para la defensa de la ciudad de Cartagena.** Abajo: **panorámica de Villa de Leyva, una de las poblaciones que conserva el esquema urbanístico y arquitectónico de la ciudad española.**

Vista exterior de la Casa de Nariño, sede del poder Ejecutivo, localizada en el centro histórico de Bogotá.

La República, hoy

El 17 de diciembre de 1819 se reunió en la población venezolana de Angostura el Congreso que dictó la Constitución de la Gran Colombia, conformada por el Virreinato de la Nueva Granada, la Capitanía de Venezuela y la Presidencia de Quito; se determinó que la capital sería Santafé de Bogotá y Simón Bolívar el presidente. Mientras Bolívar continuaba la campaña del Sur, el general Francisco de Paula Santander quedó encargado del gobierno; sin embargo, las contradicciones que existían entre los líderes, la extensión del país recién creado y los intereses personalistas de muchos de los jefes llevaron al fracaso el sueño de una gran nación buscado por Bolívar.

Víctima de un atentado en 1828 y frente a la imposibilidad de lograr la concordia, Bolívar resolvió abandonar la tierra a la que le había dado la libertad; llegó a Santa Marta enfermo, pobre y abandonado y murió en la quinta de San Pedro Alejandrino el 17 de diciembre de 1830; la Gran Colombia se disolvió y a partir de entonces surgieron tres naciones: Ecuador, Colombia y Venezuela.

En 1849, bajo la presidencia del general José Hilario López, se inició la llamada "revolución del medio siglo" que llevó a cabo reformas fundamentales como el libre cambio, expulsión de los jesuitas, libertad de imprenta y de palabra, libertad religiosa y abolición de la esclavitud. Con la Constitución radical de Rionegro en 1863 hubo nuevas reformas, el país se llamó Estados Unidos de Colombia y se implantó el federalismo; sin embargo, no existía una preparación suficiente para estas reformas y se generó el caos, hasta que Rafael Núñez efectuó un cambio absoluto y se dictó la Constitución de 1886, que creaba la centralista República de Colombia. Las guerras entre los partidos liberal y conservador continuaron hasta la más cruenta, que fue la de Los Mil Días (1899-1902).

Desde finales del siglo XVIII y durante el siglo XIX se dio uno de los hechos más trascendentales en la vida económica y social del país: la colonización antioqueña, que se desplazó hacia las vertientes de las cordilleras Central y Occidental, hizo fértiles sus tierras y las conquistó para el cultivo que pronto se convertiría en el gran producto de exportación colombiana: el café.

En las últimas décadas varios factores han contribuido al desarrollo económico del país: el crecimiento del sector petrolero y su ampliación con nuevos pozos que ya se están explotando y la producción de carbón en las minas de Cerrejón.

El mercado exportador altamente competido ha hecho necesario el establecimiento de convenios de intercambio comercial y tecnológico con diferentes países y regiones. Colombia hace parte de la Comunidad Andina, mercado que integra a más de 100 millones de consumidores; del Grupo de los Tres, G3 –con Venezuela y México–; y a través de la integración con México, se acerca al Tratado de Libre Comercio de Norteamérica, NAFTA. También hace parte de la Asociación Latinoamericana de Integración, ALADI, y tiene convenios de cooperación económica con el Mercado Común Centroamericano, y CARICOM y acuerdos binacionales con todos los países de la región, lo que le permite el acceso a otros mercados como MERCOSUR. Con la Unión Europea ha establecido tratados comerciales. En este sentido, las exigencias de la apertura económica han conducido al país a la optimización de sus procesos e infraestructura de comunicaciones.

Para ampliar los ámbitos de la democracia, modernizar el Estado, asegurar la paz y liquidar la impunidad, en 1991 se modificó la Constitución Política. Actualmente, Colombia cuenta con todos los recursos técnicos y legales requeridos por un país que forma parte de la comunidad de naciones modernas en los albores del siglo XXI.

Página 59: la arquitectura republicana se halla presente en la mayoría de las casas del sector de la Manga en Cartagena. Arriba: la imponente mansión de la familia Román. Abajo: el Colegio de las Hermanas de la Asunción en Manizales, la ciudad más importante del Eje Cafetero.

La arquitectura republicana se halla presente en la mayoría de las casas del sector de Manga, en Cartagena.

Arriba: la imponente mansión de la familia Román. Abajo: el Colegio de las Hermanas de la Asunción, en Manizales, una de las capitales del Eje Cafetero.

Crisol de culturas, Bogotá es también una ciudad donde la arquitectura cosmopolita convive con la tradición histórica local.

La construcción es un sector particularmente activo: cuando usted regrese a Bogotá, de seguro encontrará novedades.

En las principales ciudades del país se encuentran bellos ejemplos de arquitectura republicana. Arriba: vista panorámica del centro de Popayán. Abajo: detalle del edificio de la Gobernación de Cundinamarca, en Bogotá.

El desarrollo de la Colombia moderna no se detiene y para ello aprovecha la infinidad de recursos con que la naturaleza le ha

dotado. En esta página: tren que transporta carbón de La Guajira; aeropuerto de Medellín, José María Córdova; el aeropuerto de

Barranquilla; el Centro de Convenciones de Cartagena de Indias.

Los balcones heredados de la Colonia proliferan en los sectores que vieron el nacimiento de cada ciudad colombiana. En la foto, casas e la Plaza de Los Coches en la ciudad amurallada de Cartagena de Indias. Hoy, la Ciudad Vieja contrasta con la urbe moderna en una simbiosis de plena armonía, conservando intacta su arquitectura como Patrimonio Histórico de la Humanidad.

Regiones, gentes y
reservas naturales

a diversidad de pisos térmicos originada en las tres cordilleras, las inmensas riquezas naturales, los amplios territorios costeros sobre los océanos Atlántico y Pacífico, las selvas y llanuras, los montes y valles, obligan a Colombia a una multitud de ambientes que dan vida y características propias a los grupos humanos que habitan en cada uno de estos lugares.

De los cerca de 37 millones de habitantes que tiene el país, más del 70% reside en las ciudades y el resto en los sectores rurales. La zona más densamente poblada es la región andina, que alberga el 75% de la población. Le sigue la costa Atlántica con el 21%, mientras que en la región del Pacífico, junto con la Orinoquía y la Amazonía, vive tan sólo el 4%.

Colombia es un país de ciudades y aunque Bogotá es la sede del poder y de la administración pública, el lugar donde se concentra gran parte de los centros generadores de riqueza, hay otras ciudades de gran significación: Medellín, una de las más modernas y más be las, tiene una importante actividad industrial y comercial; Cali, centro de la industria azucarera, importante foco cultural y lugar donde se realizan diversos eventos deportivos nacionales e internacionales; Barranquilla, pionera de la aviación comercial y sede de uno de los más brillantes grupos iterarios y artísticos de este siglo, a través de los años ha conservado intactos su folclore y sus tradiciones populares, representados brillantemente en su famoso carnaval. Otras capitales y ciudades intermedias han desarrollado sus propias fuentes de riqueza, atractivos turísticos y actividades comerciales que generan un gran desarrollo regional y nacional.

Otro aspecto de gran interés en Colombia, país de contrastes, radica en las características propias de las gentes de cada región, en sus costumbres, tradiciones, mitos y creencias; en la comida, las expresiones folclóricas –música, danzas, instrumentos–, en su manera particular de hablar y de callar, reflejo de una forma de ver la vida, y de comunicarse con los otros seres humanos.

Páginas 64-65: **una de las costumbres más arraigadas en la educación de los niños colombianos es la instrucción musical, lo que le ha aportado al país reconocimiento internacional por la calidad de sus músicos, cantantes y compositores.**
Página 66: **periferia del Centro internacional de Bogotá. En la foto se destacan la Plaza de Toros de Santamaría, el Planetario Distrital y, al fondo, las Torres del Parque.**
En esta página: **Taganga, pueblo de pescadores en las estribaciones de la Sierra Nevada de Santa Marta.**

Colombia ofrece una abundante galería de posibilidades para pasar r oches gratas. En cualquier ciudad del país se encuentran restaurantes en los que se pueden degustar platos nativos o internac onales, mientras se disfruta de las luces urbanas. Arriba: importante sector de restaurantes en Cartagena. Abajo: un atardecer en Puerto Colombia constituye otra alternativa más sosegada e íntima.

En su inmensa mayoría, la población colombiana es fruto de un acentuado proceso de mestizaje, resultado de la mezcla de los colonos españoles con los indígenas americanos y con negros traídos como esclavos desde las costas de África durante los siglos XVI y XVII. Sin embargo, en determinadas zonas del país aún se encuentran tribus indígenas que por su aislamiento no han sufrido ningún tipo de aculturación; otras, aunque han perdido algunas de sus costumbres y adquirido ciertos hábitos que les llegan de fuera, aún conservan lo esencial de sus creencias, tradiciones y formas de contemplar el universo.

Esta mezcla de razas y culturas contribuye a darle a Colombia una estupenda diversidad y una riqueza de manifestaciones folclóricas que conforma un rico mosaico y constituye uno de sus atractivos más apreciados. Cada una de las regiones: el Altiplano Cundiboyacense, los Santanderes, la costa Caribe, Antioquia y la Región Cafetera, el Pacífico, el Suroccidente, el Alto Magdalena, la Orinoquía y la Amazonía, han desarrollado formas de vida y culturas propias.

Áreas protegidas

Nueve millones de hectáreas de agua, bosques, playas, páramos, nieves perpetuas, desiertos y grupos humanos con las más variadas manifestaciones culturales representan las áreas protegidas de Colombia. En total son 46 áreas, representadas en dos reservas naturales, 36 parques nacionales, seis santuarios de fauna y flora, un área natural única y una vía parque.

La estratégica ubicación les da un carácter social, económico y político especial. Esto significa que conservar la naturaleza del país implica hacer alianzas con los grupos humanos, sociales e institucionales, en busca de las alternativas que nos permitan la convivencia y la preservación de la naturaleza.

Las áreas protegidas representan invaluables ecosistemas por los bienes y servicios ambientales que garantizan el bienestar social y el desarrollo económico de la Nación. Otro objetivo de las zonas protegidas radica en la conservación de áreas naturales poco intervenidas para la realización de investigaciones científicas y actividades educativas y recreativas.

Páginas 69-71: Colombia tiene el privilegio de contar entre sus tesoros 46 áreas naturales protegidas, representadas en dos reservas naturales, 36 Parques Naturales Nacionales, seis santuarios de fauna y flora y un área natural única en el mundo. La multiplicidad ecosistémica que las caracteriza las convierte en pulmón del planeta, y las culturas indígenas vírgenes que habitan algunas de estas zonas enriquecen el panorama nacional. Cada una de las áreas es destino de colombianos y extranjeros, para quienes el propósito radica en un repetido encuentro con la exuberancia de la flora y la magnificencia de la fauna.

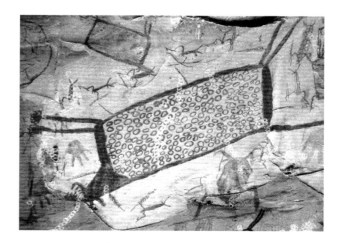

En esta página: **día de mercado en el puerto de Buenaventura.** En la página siguiente: **indígenas Wayúu en la península de La Guajira; pareja de ancianos en la región cafetera; indígenas Guambianos del Cauca en un bus escalera; cantante vallenato con su acordeón; comparsa del carnaval de Barranquilla; campesino cundinamarqués.**

Altiplano Cundiboyacense y Santanderes

Localizado en la región central del territorio colombiano, en medio de la cordillera Oriental, el altiplano cundiboyacense tiene un clima benéfico y está rodeado de montes que lo protegen de los vientos. Esta tierra fértil y rica en fuentes de agua fue el asentamiento de la cultura muisca, una de las más avanzadas que encontraron los españoles al llegar al territorio de la actual Colombia.

Los tres conquistadores cuyas expediciones penetraron al continente suramericano por diversos caminos, atraídos por la leyenda que hablaba de las fabulosas riquezas de un lugar del cual sólo se conocía el nombre, El Dorado, fueron Sebastián de Belalcázar, que procedente del sur, ya había fundado ciudades como Cali y Popayán, Nicolás de Federmán, que venía de los llanos de Venezuela, y Gonzalo Jiménez de Quesada. En 1538 fundan Santafé de Bogotá, la ciudad que desde entonces se convertiría en el centro de gobierno de ese inmenso territorio que fue llamado Nuevo Reino de Granada.

La población indígena que habitaba esta región era poco belicosa, por lo cual fue fácilmente reducida a la servidumbre; estaba bien organizada en los campos político y administrativo y ya poseía una jerarquización social que les facilitó a los españoles explotar su trabajo y obligarlos al pago de tributo. Mediante el sistema de trueque, los muiscas obtenían de otras tribus de las zonas bajas el oro que cambiaban por sal, esmeraldas y finas mantas de algodón; con el precioso metal fabricaban ofrendas sagradas, ajuares funerarios y las diversas piezas que utilizaban como ornamento.

Panorámica de Tinjacá, Boyacá.

Sobre las poblaciones indígenas del Zaque y del Zipa se fundaron las ciudades españolas de Tunja y Santafé de Bogotá, que progresaron rápidamente, pues eran sede de ricos encomenderos que dispusieron de la infraestructura necesaria para consolidarlas como ciudades letradas, donde se formaron dirigentes de la administración eclesiástica y civil del Nuevo Reino de Granada durante la Colonia y en los primeros tiempos republicanos.

La mayor parte del territorio de Cundinamarca es montañoso y su relieve corresponde a la cordillera Oriental, la que al penetrar por el suroccidente tiene sus máximas alturas en el páramo de Sumapaz (4.500 msnm). También posee terrenos bajos y cálidos que corresponden al valle del Magdalena y al piedemonte de los Llanos Orientales.

El Estado de Cundinamarca se fundó en 1811 y Jorge Tadeo Lozano fue su primer presidente. Luego de la independencia de la totalidad del territorio colombiano en 1819, se creó el departamento de Cundinamarca, cuya extensión abarcaba todo el territorio nacional; adquirió su fisonomía actual desde 1886. La industria, el comercio, los servicios y la ganadería son las actividades económicas más importantes del departamento, y la distribución de los recursos está concentrada principalmente en Bogotá, cuya capacidad industrial es la mayor del país por su importancia y por el número de establecimientos. El sector agropecuario, y dentro de él la floricultura y la ganadería son los más desarrollados del país.

Las condiciones climáticas y geográficas del departamento de Boyacá hacen de él el primer productor nacional de papa y de cebolla. La región también es rica en cultivos de maíz, trigo, cebada, plátano, yuca y hortalizas. El desarrollo industrial de Boyacá se ha centrado en las ramas siderúrgica, de cementos y bebidas. La minería ha jugado también un rol importante en el crecimiento económico del departamento; sobresalen la explotación de hierro, fosfatos, calizas, carbón y esmeraldas.

Al norte de Boyacá se encuentran los departamentos de Santander y Norte de Santander. La región fue durante la Colonia el paso obligado en la vía que comunicaba por tierra con Venezuela, y desde el siglo XVII hasta bien entrado el XIX, la prosperidad de las ciudades santandereanas no dejó de crecer: San Gil, Socorro, Girón, Bucaramanga, Pamplona, Ocaña, Villa del Rosario y Cúcuta vieron ampliar su importancia, su riqueza material y cultural y compitieron entre sí para ofrecer las mejores condiciones de vida a sus habitantes.

En el departamento de Santander la cordillera Oriental forma el Nudo de Santurbán, donde se bifurca; el ramal occidental sigue por territorio colombiano y el oriental entra a Venezuela por el estado del Táchira, y hacia el norte la serranía de los Motilones marca el límite entre Colombia y Venezuela, en el estado de Zulia. Una rica mezcla racial y cultural, producto del aporte indígena, español y alemán, formó el carácter del santandereano.

En 1781 se inició en la Villa del Socorro el que fue, con el de Túpac Amaru en el Perú, uno de los primeros levantamientos de carácter independentista en las colonias españolas americanas, generado por la excesiva carga tributaria a la que estaba sometida la región, una de las más avanzadas por su producción de tabaco y textiles. El movimiento fue reprimido y su líder, José Antonio Galán, sacrificado. Sin embargo, la semilla de la libertad daría sus frutos al iniciarse unos años más tarde, en 1810, la gesta libertadora.

Uno de los aspectos más relevantes de la industrialización de la región santandereana fue la aparición del enclave petrolero en Barrancabermeja, que surgió como centro de producción y transformación del petróleo a comienzos del siglo XX. En 1922 inició la producción comercial en gran escala la Tropical Oil Company, a raíz de lo cual llegaron a la zona centenares de trabajadores provenientes de todo el país. Simultáneamente se construyó el oleoducto Andian, que llevaría el crudo de Barrancabermeja a Cartagena.

Dos de los accidentes geográficos más imponentes del país. Página 77, arriba: **Sierra Nevada del Cocuy**. Abajo: **cañón del río Chicamocha**.

En la sabana de Bogotá y en el departamento de Boyacá abundan pueblos que aún conservan el legado de la Colonia española. Arriba: panorámica de la sabana al norte de Bogotá. Abajo: el parque de Tópaga, en Boyacá.

En la página 79: en Suesca se levantan imponentes rocas a las que recurren escaladores de todos los rincones del mundo en aras de prepararse para ascensos de mayor exigencia como el del Everest. Dos expediciones formadas en este territorio han coronado la cumbre más alta del mundo.

En Chocontá, municipio del norte de Cundinamarca, se levanta esta hermosa casona colonial. El patio central con su fuente, alrededor del cual se disponían las diferentes habitaciones de la casa, es un rasgo típico de la arquitectura de influencia española anterior a la Independencia.

La comunidad franciscana edificó a comienzos del siglo xx un templo dedicado a san Francisco de Asís en Santander.

Bogotá

¡Tierra buena! ¡Tierra buena! Tierra
que pone fin a nuestra pena.
Tierra de oro, tierra bastecida, Tierra
para hacer perpetua casa...

Juan de Castellanos,
Elegías de varones ilustres de Indias.

La expedición que se dirigía hacia el interior del territorio de la actual Colombia, al mar do de Gonzalo Jiménez de Quesada, partió de Santa Marta con quinientos hombres. Después de soportar toda clase de penalidades, encontraron indicios inequívocos de civilización cuando dos miembros de la expedición le entregaron a Jiménez de Quesada mantas de algodón y panes de sal, signo de que estaba cerca el final de sus sufrimientos.

Quesada llegó con 166 hombres a una tierra donde abundaban el maíz, la papa, la yuca y el fríjol, y había gran cantidad de bohíos; el reino de los muiscas fue llamado Nuevo Reino de Granada y el 6 de agosto de 1538 se fundó Santafé. Ésta cobró importancia dado lo benéfico del clima, la fecundidad de la tierra y la abundante mano de obra indígena, que pronto fue repartida en encomiendas otorgadas a Jiménez de Quesada y a los miembros de su expedición.

Durante el siglo XIX, Bogotá fue escenario de las luchas civiles que siguieron a la emancipación. Declarada capital de la Gran Colombia, al disolverse ésta en 1830, continuó siéndolo a través de los sucesivos cambios políticos de la República de Colombia. Al entrar el siglo XX, en medio de un período de paz política, comenzó a convertirse en una ciudad moderna. Bogotá vivió entonces los dolorosos acontecimientos del 9 de abril de 1948, cuando a raíz del asesinato del líder político Jorge Eliécer Gaitán, el centro de la ciudad fue destruido casi en su totalidad.

La diversidad se hace armonía

Con siete millones de habitantes, Bogotá presenta actualmente un desarrollo urbanístico que alberga dinámicos centros financieros, capas de industrialización y franjas residenciales. Cerca de las construcciones de los barrios tradicionales han ido surgiendo nuevas edificaciones, lo cual ha hecho de Bogotá una ciudad de contrastes. No obstante, se ha logrado conservar parte de la

Monumento Banderas, en el sector de
Techo al suroccidente de Bogotá.

arquitectura colonial con sus casas de estilo andaluz y sus extraordinarias iglesias, así como las bellas edificaciones republicanas.

Algunos ejemplos de esto son el antiguo complejo jesuita, del cual formaban parte San Bartolomé, la iglesia de San Ignacio, el claustro de Las Aulas, hoy sede del Museo de Arte Colonial y el Palacio de San Carlos; la Casa de Moneda, construida en el siglo XVII, donde estaban los hornos para la fundición sistematizada de oro y plata destinados a la amonedación; la casa del Marqués de San Jorge, donde hoy funciona el Museo Arqueológico; el Museo del 20 de Julio, conocido como la Casa del Florero, donde se inició la reyerta que originó el levantamiento de 1810 y después la cruenta represión desatada en la llamada "época del terror" que prosiguió hasta 1819, cuando se selló la independencia definitiva del país; el Observatorio Astronómico y el teatro Colón, para cuya construcción se contrataron eminentes arquitectos, escultores y decoradores italianos. En diversos lugares del centro de la ciudad también hay magníficos ejemplos de arquitectura republicana, como el Palacio Echeverry y el edificio en que hasta hace poco operaba la Gobernación de Cundinamarca.

Sectores de la ciudad

El centro es el lugar donde se encuentran antiguos barrios como Egipto y La Candelaria, así como el espacio alrededor del cual nació la ciudad en 1538, y que ha sido desde entonces escenario de los acontecimientos más notables de Bogotá.

El Centro Internacional alberga grandes construcciones modernas donde funcionan instituciones financieras, bancarias y hoteleras, el Centro de Convenciones Gonzalo Jiménez de Quesada y el Parque Central Bavaria. Al lado de los rascacielos se encuentran la vieja recoleta de San Diego, de estilo colonial, la Plaza de Toros, de estilo mudéjar, y el panóptico, construcción del siglo XIX, actualmente sede del Museo Nacional.

Entre los barrios que conservan sus construcciones tradicionales están Teusaquillo y La Merced, con sus magníficas construcciones de estilo inglés. En medio de modernos edificios y de estas bellas casas está el Parque Nacional, uno de los pulmones de la ciudad.

Los sectores más modernos se han construido básicamente en el norte y nororiente de la ciudad; entre ellos se destacan el conjunto de edificios que bordea la avenida Chile y que conforma un importante sector financiero, en medio del cual se conserva la vieja iglesia franciscana de La Porciúncula. La calle 100 y la carrera 7ª, al norte, entre otras, son importantes arterias en las cuales se levantan modernos edificios de oficinas y grandes complejos hospitalarios. Los centros comerciales también han contribuido al desarrollo de la ciudad; el primero de ellos fue Unicentro, al cual siguieron Granahorrar, Hacienda Santa Bárbara, Bulevar Niza, Andino, Atlantis y muchos otros que ofrecen grandes atractivos para el comercio y variados sitios de diversión.

En la capital se celebran durante todo el año diversos eventos, ferias y exposiciones que concentran a los diversos sectores productivos, técnicos, del agro, la producción industrial, la artesanía, la industria editorial y muchos otros, en la sede de Corferias, que cuenta con una excelente infraestructura, modernos y funcionales pabellones, salas de conferencias e instalaciones perfectamente equipadas para la realización de estas actividades nacionales e internacionales.

Al suroccidente de la capital está la Zona Industrial, inmenso complejo que alberga la producción manufacturera y sus bodegas de almacenamiento y que da idea del desarrollo industrial de la ciudad. En las tierras de la sabana que rodea a Bogotá hay grandes y tecnificados cultivos de flores que se consideran entre las más bellas del mundo y constituyen uno de los renglones fundamentales de exportación de país.

Página 85: dos de los puntos neurálgicos de la actividad citadina se concentran en el Museo del Chicó (arriba), lugar de recepciones culturales y empresariales, ubicado en el norte de la ciudad, y en el polo opuesto, Centro Internacional (abajo), agitado sector de negocios, arte y cultura. En primer plano, la Plaza de Toros de Santamaría, con estilo mudéjar y capacidad para 13.600 espectadores, se halla en cercanías de las Torres del Parque, cuyo diseño arquitectónico ha sido galardonado internacionalmente en repetidas ocasiones.

Actividad cultural

Desde el siglo XVIII, Bogotá ha sido un centro cultural donde se iniciaron empresas tan importantes como la Expedición Botánica y la Comisión Corográfica que recorrió gran parte del país, elaboró mapas y dejó consignadas costumbres y expresiones culturales del pueblo en excelentes narraciones y acuarelas que se encuentran hoy en la Biblioteca Nacional.

Bogotá cuenta con magníficas sedes culturales, entre las que se destacan el Museo del Oro, cuya colección de piezas de orfebrería precolombina es la más importante del mundo, el Museo Arqueológico, el Museo Nacional, que conserva colecciones de arqueología, etnología y obras de arte de todas las épocas, el Museo de Artes y Tradiciones Populares, el Museo de Arte Moderno, la Quinta de Bolívar, residencia campestre del Libertador, el Museo de El Chicó en la antigua hacienda de su nombre, y muchas galerías de arte; bibliotecas como la Nacional y la Luis Ángel Arango; teatros como el Colón, el Jorge Eliécer Gaitán, el Colsubsidio, el Libre y salas de conciertos como la Sala de Música de la Biblioteca Luis Ángel Arango, una de las mejores de Suramérica, el Auditorio León de Greiff, el Camarín del Carmen, el Centro Cultural del Gimnasio Moderno y el Centro Cultural Skandia, donde se presentan grandes orquestas, grupos de cámara, artistas y compañías de teatro y ópera de talla internacional.

La ciudad concentra el mayor número de universidades e instituciones educativas de enseñanza técnica, científica y humanística del país: la Universidad Nacional de Colombia, de los Andes, Javeriana, Jorge Tadeo Lozano, del Rosario, Santo Tomás, Externado, La Salle y Libre, entre otras.

Vida urbana

Bogotá es hoy una ciudad moderna, cuyos habitantes tienen acceso a diversos eventos de tipo cultural y de diversión y esparcimiento. Cuenta con varias unidades deportivas como El Campín, que posee estadio y coliseo cubierto, y El Salitre, con parque de diversiones, coliseo cubierto, instalaciones deportivas de libre acceso y aquaparque. En el Parque Simón Bolívar hay un lago donde se pueden practicar deportes náuticos; cuenta con pistas para atletismo, ciclopaseos y una gran plazoleta donde se realizan competencias deportivas y eventos culturales.

Cuando llega la noche, la ciudad se ilumina y se abren multitud de establecimientos en donde se puede disfrutar desde una excelente cena hasta comidas informales y bailar al son de diferentes ritmos. La actividad nocturna es muy animada en lugares como la Zona Rosa, el sector que circunda la calle 93 y la calle 85 al norte de la ciudad, La Calera y las poblaciones cercanas.

Alrededores de la ciudad

Bogotá está rodeada de poblaciones que conservan todo el encanto tradicional y brindan un sano esparcimiento a quienes salen a gozar del apacible paisaje sabanero. Por la carretera central del norte que recorre el altiplano cundiboyacense hay parques de diversiones, lagunas como la de Fúquene y la legendaria de Guatavita, represas como las de Tominé, Sisga y Neusa, donde se puede acampar y practicar el velerismo y otros deportes acuáticos. Muy cerca de la capital están Chía, Cajicá, Tabio, Tenjo y la ciudad de Zipaquirá, famosa por las salinas que explotaban ya los muiscas y por la Catedral de Sal, verdadera joya labrada sobre la roca, única en el mundo.

Cerca de Bogotá también es posible disfrutar la exuberancia del trópico, encontrar otro clima, otra vegetación y otro tipo de recreación. Hacia el sur o el occidente y en pocas horas se encuentran poblaciones de clima templado como La Vega, Fusagasugá o Villeta, ideales para disfrutar del sol y el descanso degustando las ricas frutas de la región; o por ejemplo Guaduas, población que conserva el sabor histórico.

Página 87: **Bogotá ofrece un espectro de múltiples opciones.** Entre ellas está la diversión de los parques, con todo tipo de atracciones para niños y adultos. Las calles, por su parte, ofrecen un verdadero desfile de arte en todas las manifestaciones, pues en la esquina menos esperada, el transeúnte puede hallarse ante un ramillete de artistas. Arriba: la locomotora Baldwing, un turistrén que conduce pasajeros en 14 vagones desde la Estación de la Sabana hasta Nemocón, pasando por pintorescos pueblos.

Bogotá cuenta con numerosas edificaciones construidas durante la Colonia y restauradas periódicamente que hoy son sede de instituciones públicas o privadas, o bien, mansiones familiares. Arriba: la cuarta sede del Seminario Conciliar construido en el siglo XVI, edificio de estilo románico con capacidad para 180 alumnos. Abajo: el Palacio Echeverry, obra arquitectónica de Gaston Lelarge.

En la Plaza de Bolívar se encuentran los poderes político, administrativo y religioso en construcciones de principios de siglo, excepto el nuevo Palacio de Justicia, reconstruido durante la década de los noventa. Arriba: el Palacio de Nariño, sede presidencial. Abajo: el Capitolio Nacional, sede del Congreso de la República, cuyo pórtico presenta 12 columnas jónicas. La estatua de Bolívar, en el centro de la plaza, es obra de Tenerani.

Arriba: la iglesia (hoy museo) de Santa Clara se construyó entre 1629 y 1674. Su decoración interior obedece a los principios básicos del barroco americano. Abajo: patio interior de la Casa de Nariño, sede del poder Ejecutivo.

En la página anterior: la calle 11, una de las más tradicionales del barrio La Candelaria, con la torre de la Catedral al fondo.

En Bogotá se presentan grandes contrastes y diferentes estilos arquitectónicos. Izquierda: la iglesia colonial de San Diego y al fondo uno de los edificios del Centro Internacional. Derecha: la avenida Chile, al norte de la ciudad, importante centro financiero y de negocios, donde también conviven construcciones de diversas épocas; en primer plano, la iglesia de La Porciúncula y al fondo el centro comercial Granahorrar.

Las instituciones académicas han cobrado reconocimiento en razón de sus egresados, que diariamente destacan por su desempeño dentro y fuera del país. Las construcciones presentan estilos arquitectónicos diversos, como lo muestra el Colegio San Bartolomé, inicialmente una capellanía construida por orden de Jiménez de Quesada. Por su parte, las universidades, con diseños modernos, confieren gran valor a sus campus, en los que predominan las zonas verdes y aireadas que estimulan el conocimiento y la creatividad.

Bogotá es un gran recinto cultural al que acuden colombianos de todos los rincones del país para presenciar eventos de talla internacional, como su temporada de ópera, su festival de teatro, y su festival de cine. Pero además, en la Capital del país residen las más importantes instituciones promotoras de cultura y los más valiosos museos. En esta página: muestra precolombina del Museo del Oro, cuyo tesoro suma 33.000 piezas de orfebrería de 13 culturas indígenas.

En la Candelaria tiene sede la Biblioteca Luis Ángel Arango, la que más alto reporte de visitas diarias tiene en el mundo.

Forma parte de la división cultural del Banco de la República, que incluye sala de exposiciones y uno de los auditorios más

elogiados de Suramérica por la calidad de su acústica. Abajo: la Casa del Marqués de San Jorge, mansión del período colonial,

es sede del Museo Arqueológico y monumento nacional. Derecha: vista exterior del Museo Nacional, antiguamente, Panóptico.

El Museo de Arte Colonial (izquierda) data de 1767. En su patio interior se yergue el apodado Mono de la Pila, que representa a Juan Bautista. Derecha: la Donación Botero consta de 123 obras del maestro y 85 de Picasso, Renoir, Monet, Dalí, Giacometti, Freud y Bacon, entre otros artistas de relevancia internacional. Abajo: el Teatro Colón, escenario permanente de la Orquesta Sinfónica de Colombia.

Esta muestra de arquitectura doméstica, típica de la transición entre la Colonia y los inicios de la República, funde el legado español y el local gracias a técnicas de construcción que combinan el bahareque y la paja con el ladrillo y la teja. Entre calles estrechas y adoquinadas, las casas de la Bogotá colonial se delatan por sus portones tallados, sus ventanas enrejadas y sus techos de tejas rojas y aleros.

Maloka, el centro interactivo más importante de Suramérica, fue gestado para acercar la ciencia y la tecnología a los visitantes y promover la educación democratizada. En sus diez salas interactivas, educativas y culturales, todas las edades pueden desarrollar estrategias de aprendizaje innovadoras y fascinantes.

El cine domo Maloka, por su parte, es el primero y único cine de formato gigante en Suramérica. Aquí el visitante encuentra una mezcla perfecta de entretenimiento y aprendizaje, al tiempo que experimenta una aventura sin igual, gracias a la última tecnología: 30.000 vatios de sonido y un ángulo de proyección de 180 grados.

Este universo mágico ofrece servicios adicionales como el almacén, donde es posible adquirir juegos interactivos, *souvenirs*, curiosidades, música, libros y material educativo. Así mismo, un restaurante con variado menú de comidas rápidas y platos típicos e internacionales, un café, una sala internet con plataforma de avanzada para navegar o realizar cursos y talleres, y recintos para la realización de eventos.

La denodada restauración del barrio La Candelaria, declarado patrimonio nacional, ha generado una masiva instalación de museos, casas promotoras de cultura, teatros, centros de enseñanza musical, talleres de artes plásticas y casas de poesía en construcciones coloniales. Destacan en ellas los balcones interiores y exteriores y los patios circundados por numerosas habitaciones.

La capital del país presenta los estilos más disímiles en la arquitectura de sus iglesias. El acopio de obras de arte religioso es un valor agregado que congrega a estudiosos de la materia. Izquierda: la iglesia de Nuestra Señora de Egipto, reformada en 1657, famosa por su celebración de la Semana Santa. Derecha: la Catedral Primada, ubicada en el costado oriental de la Plaza de Bolívar, presenta una fachada de estilo plateresco y altar neoclásico.

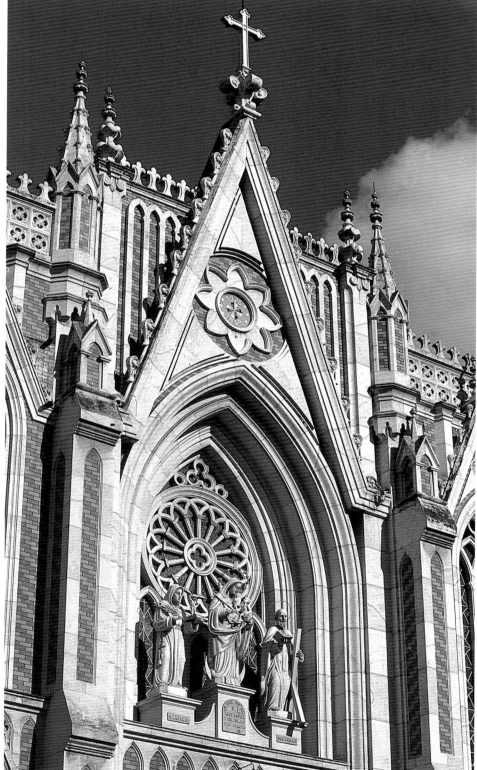

ALTIPLANO CUNDIBOYACENSE Y SANTANDERES

Izquierda: **iglesia de Las Nieves.** Derecha: **iglesia de Nuestra Señora de Chiquinquirá, especial por su elevado atrio y su estilo gótico.**

Página 104: **iglesia del Carmen, consagrada a la Virgen del Carmen y el Santuario de Monserrate,** que se observa desde numerosos puntos de la ciudad, como las inmediaciones del Palacio de Justicia (abajo) y de la Plazoleta Antonio Nariño, derecha, recuperada para el espacio público y para la que el maestro Edgar Negret donó una escultura.

El tradicional cerro de Monserrate es el lugar de destino de cientos de bogotanos y turistas que los fines de semana emprenden la marcha hacia los 521 metros de altura sobre la ciudad. El objetivo: visitar el Santuario de Monserrate que se halla en la cima de la montaña, pasando por las diversas estampas del *vía crucis* hasta arribar a la estatua del Señor Caído, imagen que congrega feligreses de manera masiva. Caminando durante dos horas, o en teleférico o funicular durante cinco minutos, el ascenso se convierte en un ameno recorrido ya sea para hacer ejercicio, adquirir *souvenirs* en el trayecto y en la cumbre, o bien para entregarse a la oración.

El Centro Internacional de Bogotá ha sido testigo de la modernización de la ciudad. En medio de los más modernos rascacielos, sedes de entidades financieras y comerciales, se aprecian el Hotel Tequendama, uno de los más tradicionales de la ciudad y la recoleta de San Diego, hermosa iglesia colonial.

Tras un copioso y denodado trabajo de recuperación de las vías y del espacio público, efectuado por las últimas administraciones, Bogotá luce de gala. La infraestructura del sistema de transporte urbano, Transmilenio, mejoró considerablemente el ritmo de vida de los ciudadanos, logrando reducir al mínimo los tiempos de desplazamiento a través de 94 kilómetros de carriles que cubren casi el total de la ciudad en una flota de macrobuses con capacidad equiparable a la de un sistema de metro.

Desde hace varios años existen en Bogotá las ciclovías, habilitadas durante los días festivos para incentivar la recreación y el d porte; y ahora los ciudadanos cuentan con ciclorrutas permanentes: vías para el tránsito preferencial de bicicletas, generando de esta manera una alternativa más de transporte y adicionalmente reduciendo el índice de accidentalidad en las vías automovilísticas. Así mismo se han venido desarrollando proyectos para dotar a la ciudad de espacios amab es en los que imperen las zonas verdes, las áreas de recreación y las condiciones para hacer cultura.

A la capital del país se le llama actualmente como "el Escenario de las Artes", calificativo al que se ha hecho acreedora no sólo por la amplia gama de alternativas culturales ofrecidas en sus recintos, sino además porque sus calles son sinónimo de color y sensibilidad durante todo el año. Festivales de música, danza, teatro y cine, entre otros eventos culturales de todo tipo, suman cerca de 9.000 actividades que tienen lugar en las calles. A ello se suman exposiciones de fotografía ubicadas en el paso obligado de los transeúntes, para quienes el cotidiano urbano es ahora más grato que nunca.

Los centros recreativos de las cajas de compensación familiar ofrecen una amplia gama de servicios con el propósito de brindar educación, cultura y turismo recreativo a la sociedad. Sus instalaciones constituyen una alternativa para la integración familiar, el descanso, la práctica de deportes o el fomento de la educación.

La ciudad tiene una intensa actividad nocturna; diariamente se programan multitud de espectáculos en los que participan artistas nacionales e internacionales. Entre muchas opciones, ofrece la posibilidad de saborear exquisitas cenas en alguno de sus magníficos restaurantes, o bien disfrutar una "noche de rumba" en una de sus discotecas. En esta página: panorámica nocturna de Bogotá; el Ballet de Colombia, uno de los grupos folclóricos que mejor representa los bailes y tradiciones de los colombianos.

Retirados, profesionales, jóvenes, adolescentes o niños; turistas o colombianos; amigos del ruido o del silencio: todos cuentan con espacios que se ajustan a las exigencias de la diversión y del relax. En los clubes: el deporte y las recepciones. En la Zona Rosa de Bogotá: la rumba y la distención. El parque de la 93 (arriba, pág. 113): lugar de sosegado de encuentro para jóvenes y amantes de la buena mesa, pero además para los adeptos a la ópera, pues durante el mes de julio se lleva a cabo un festival del género. El Museo de Artes y Tradiciones Populares, con sus muestras de objetos culturales y autóctonos de las distintas regiones del país, se constituye en destino de quienes quieren aprender más sobre la identidad regional o adquirir un obsequio especialmente colombiano (abajo, pág. 112).

El Jardín Botánico José Celestino Mutis preserva 2.700 especies vegetales que constituyen una muestra representativa de la flora de todo el país. Millares de personas visitan el lugar, que tiene una extensión de 27 hectáreas. Las instituciones educativas incluyen la visita al Jardín entre sus actividades de trabajo de campo. Un verdadero legado del sabio Mutis.

La arquitectura de la metrópoli bogotana ofrece un variado espectro de estilos, que van desde influencias góticas, barrocas y neoclásicas, hasta edificaciones postmodernas.

Chapinero alto es el reducto de la mejor estirpe residencial, aunque hoy lo amenazan construcciones de propiedad horizontal. Santa Bárbara (arriba), al norte de la ciudad, es un importante y tradicional polo residencial que se destaca además por sus galerías y anticuarios. Los centros comerciales (abajo, derecha) del país van a la vanguardia no sólo en diseño arquitectónico, sino en los artículos que ofrecen sus vitrinas.

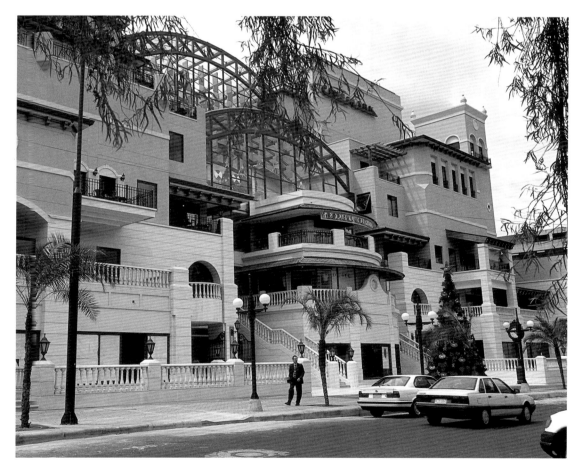

La sabana de Bogotá produce las flores más bellas del mundo; en los alrededores de la ciudad se encuentran poblaciones que aún conservan las viejas tradiciones, entre ellas la elaboración artesanal de vasijas de barro, mantas de lana virgen y cestería.

En la siguiente página: el embalse del Neusa es uno de los más apacibles lugares de la sabana; allí se pueden practicar diversos deportes náuticos y acampar en el parque forestal, en medio de un bosque de pinos.

A pes r del desarrollo de las ciudades colombianas, en Cundinamarca, al igual que en todos los departamentos, es posible

encor⁻rar escenas que remiten a los modos ancestrales de producción. Los pequeños hatos lecheros son un ejemplo. Los

camp•sinos suelen transportar la leche en carretas haladas por burros y mulas. Además de ꜟsta actividad, la tierra

cundiᴸamarquesa, rica en agua y pastales de todos los verdes, es generosa en la producción de legumbres, tubérculos y flores.

Boyacá

Hacia el nororiente de la sabana de Bogotá se extiende la tierra fértil del departamento de Boyacá; es un paisaje apacible y sereno en la zona alta y fría de la cordillera Oriental, donde se encuentran pequeñas poblaciones que conservan sus tradiciones y formas de vida campesinas. El oriente del departamento está conformado por las estribaciones de la cordillera, que marcan el límite con la vasta llanura de Casanare, y el occidente por una estrecha franja que termina en la ardiente hoya del bajo Magdalena. Al norte se abre un gigantesco abanico de montañas que se extienden sobre el cañón del Chicamocha y llegan hasta la Sierra Nevada del Cocuy. Boyacá tiene en su territorio zonas desérticas, grandes lagos y aguas termales, el Parque Nacional Natural Pisba, el Parque Nacional Natural El Cocuy y el Santuario de Fauna y Flora de Iguaque.

La población de Boyacá es básicamente rural; el 55% habita y trabaja en el campo y cultiva papa, trigo, cebada y otros cereales, legumbres y frutales; en las tierras altas hay ganadería lechera. El departamento también tiene producción minera en las acerías Paz del Río y en las minas de esmeraldas de la región de Muzo.

Boyacá tiene una muy antigua tradición artesanal; los campesinos de muchas de sus regiones complementan sus ingresos con la elaboración y comercialización de todo tipo de artesanías. En la producción de textiles figuran las mantas de lana teñidas con colores fuertes, que se confeccionan en Sogamoso, Chiquinquirá y Paipa, entre otras poblaciones. Las cobijas, especialmente las de Nobsa, son elaboradas en

Página 120: **portal del monasterio de La Calendaria en cercanías de Ráquira.**

En esta página: **panorámica de la plaza de Bolívar de Tunja. Debido a la importancia que llegó a tener este pueblo durante la Colonia y a la necesidad de evangelizar a los indígenas, se construyeron templos cuya magnificencia aún deslumbra.** Abajo: **campesina boyacense.**

lana virgen blanca e hilada en huso. Las ruanas, prenda tradicional de los campesinos colombianos, se elaboran en Iza, Cocuy y Sogamoso. El trabajo de talla de la semilla de la palma de marfil o tagua es famoso en Tinjacá; la cerámica, arte que los campesinos heredaron de sus antepasados aborígenes, se elabora en Ráquira y sus alrededores.

El campo de Boyacá fue escenario de las batallas que sellaron la Independencia colombiana: en el Pantano de Vargas y en el Puente de Boyacá, las tropas lideradas por Bolívar y Santander vencieron al ejército de Pablo Morillo y pusieron fin al dominio de Fernando VII de España sobre estos territorios. Ambos lugares poseen monumentos que conmemoran la gesta emancipadora; en el Pantano de Vargas se levanta el *Homenaje a los lanceros del Llano*, obra del escultor Rodrigo Arenas Betancourt.

Tunja

Capital del departamento, está situada sobre una terraza del altiplano boyacense a 2.890 msnm y su temperatura media es de 9 °C. La arquitectura colonial que caracteriza la ciudad, parte de ella del siglo XVI, es una de las más ricas y hermosas que esta etapa dejó como legado en la Nueva Granada. Las iglesias y conventos no sólo son notables por su arquitectura, sino por la extraordinaria ornamentación y por las tallas y cuadros de los más importantes pintores de los siglos coloniales, como Angélico Medoro, Gregorio Vásquez Ceballos y los Figueroa; se destacan la Catedral, el templo de San Francisco, las iglesias de Santo Domingo con su maravillosa capilla del Rosario, Santa Bárbara y las capillas de El Topo, Santa Clara y Las Nieves.

Como ejemplos de arquitectura civil están la casa del Fundador en la Plaza Mayor, la del escribano Juan de Vargas con sus extraordinarias y bien conservadas pinturas murales y otras no menos imponentes, que son en la actualidad sedes de clubes, hoteles e instituciones de gobierno. Grandes escritores como Juan de Castellanos y la madre Francisca Josefa del Castillo hicieron de ella una ciudad de tradición literaria. Tiene una rica vida cultural que le ha ganado con razón el título de "Ciudad Cultural" y es célebre por sus semanas musicales, el aguinaldo boyacense, su Universidad y su renombrado Conservatorio.

Pueblos boyacenses

Villa de Leyva fue fundada por Andrés Díaz Venero de Leyva, primer presidente del Nuevo Reino de Granada, en 1572. Alrededor de su gran plaza adoquinada se encuentran la iglesia y casonas coloniales como la de Los Portales, donde don Juan de Castellanos escribió sus *Elegías de varones ilustres de Indias*, y las del Cabildo y del Congreso. Desde su etapa inicial fue lugar de descanso de viajeros y autoridades y allí pasó sus últimos días Antonio Nariño, el Precursor de la Independencia.

Su arquitectura colonial es notable; se destacan los monasterios que hay en la ciudad y en sus alrededores, sus pequeñas plazas, las calles empedradas y los molinos ahora convertidos en hoteles; el Museo Paleontológico conserva una magnífica colección de fósiles, testimonio de un pasado remoto cuando la región estuvo sumergida en el mar. Cerca de Villa de Leyva se encuentran importantes vestigios de antiquísimos fósiles y restos de la cultura aborigen como El Infiernillo, observatorio astronómico y sitio ceremonial indígena, y la laguna de Iguaque donde, según la tradición muisca, nació la humanidad; Bachué y su hijo salieron de allí y después de poblar estas tierras, se transformaron en serpientes antes de sumergirse en la laguna.

En Sáchica, una población muy cercana, se reviven durante la Semana Santa, en la plaza y en las calles, los episodios de la pasión de Cristo. Otros lugares hermosos y apacibles son

Ráquira, una encantadora población famosa por la cerámica cuya producción se remonta al período colonial, Tópaga y Monguí que, como la mayoría de los pueblos de Boyacá, son verdaderas joyas coloniales por sus iglesias y plazas, por sus calles y sus casas.

Paipa y sus alrededores poseen un importante complejo turístico, y a la excelente infraestructura hotelera se añade el atractivo de sus famosas aguas termales.

Duitama y Sogamoso son ciudades activas que vinculan su producción agrícola y pecuaria con el centro del departamento y con su región llanera; los pequeños pueblos que se encuentran en carreteras y caminos son verdaderas reliquias de un antiguo pasado rico en producción artesanal de tejidos de lana, cestería, alfarería y en tradiciones y leyendas muy antiguas que se niegan a desaparecer.

La ciudad de Chiquinquirá es lugar de romerías porque allí se ha venerado desde el siglo XVI la imagen milagrosa de la Virgen del Rosario de Chiquinquirá, en cuyo honor se construyó la gran catedral que conserva la imagen pintada originalmente en un lienzo burdo por artesanos del pueblo y que, después de haberse deteriorado y despedazado casi por completo, milagrosamente se restituyó ella misma; desde entonces se venera como la patrona de Colombia y cuando el papa Juan Pablo II visitó el país, renovó el culto.

Uno de los mayores atractivos de la zona es el lago de Tota, donde se puede navegar en veleros o lanchas de motor y practicar deportes acuáticos; en sus orillas hay hoteles y paradores en los que se puede gozar de un ambiente acogedor.

Ráquira, uno de los pueblos más pintorescos de la región, no sólo por el colorido de todas sus casas, sino por la atractiva galería de artesanías que elaboran los nativos del lugar.

Villa de Leyva fue, durante la Colonia, un lugar de descanso para autoridades virreinales y viajeros. En la actualidad se ha convertido en un atractivo centro turístico donde se llevan a cabo diversos tipos de actividades: carreras de caballos, festividades de carácter religioso en honor de la Virgen de Chiquinquirá y de San Isidro e importantes eventos como el Festival de la Cometa en el mes de agosto. Así mismo congrega la más excelsa muestra de artesanías.

En el departamento de Boyacá se encuentran hermosos y apacibles lugares que invitan al descanso y al recogimiento, como el lago de Tota, donde también se pueden practicar diversos deportes náuticos, como el velerismo y la pesca de la trucha arcoiris. En los alrededores del lago Sochagota, en inmediaciones de la población de Paipa, hay magníficos hoteles, aguas termales y un gran centro de convenciones.

En cada uno de los rincones de Boyacá se dan vivos y sorprendentes contrastes; su producción va desde la industria siderúrgica en Paz del Río hasta la más fina y delicada artesanía del valle de Tenza. La blancura de los muros con que la Colonia iluminó la iglesia de Sáchica y la viveza del colorido indígena en las casas de Ráquira, hacen del departamento uno de los más diversos del país.

Santanderes

Su territorio se encuentra en la parte nororiental de Colombia; los dos departamentos conformaron el Estado Soberano de Santander, hasta 1386, cuando se convirtieron en unidades políticas independientes. La región es una de las más montañosas del país; de sur a norte la recorre la cordillera Oriental que determina el relieve donde se encuentran todos los pisos térmicos, desde la selva húmeda tropical en la zona del Magdalena Medio, hasta los climas fríos y los páramos. En su parte montañosa presenta una sucesión de cañones profundos cortados por las montañas; al fondo están los valles de los ríos Suárez, Fonce y Chicamocha; éste ha labrado un espectacular cañón que es uno de los máximos atractivos del departamento.

A la llegada de los españoles el territorio estaba poblado por los yarigüíes, los guanes y los chitareros, grupos indígenas que opusieron una brava resistencia a los conquistadores. Durante la Colonia, las primeras poblaciones surgieron como "pueblos de indios", o sea, asentamientos para facilitar su evangelización; con el tiempo se fue imponiendo el mestizaje y nacieron los "pueblos de blancos".

Santander

Es una zona de gran actividad económica desde el siglo XVIII, cuando fue un importante productor de tabaco, a pesar de que las autoridades españolas sometieron su producción y comercialización al monopolio estatal a través del "estanco".

Página 130: parte de la fisonomía de Santander son sus pueblos, cuyos ancestros indígenas y rasgos coloniales se asientan en los hondos pliegues de la cordillera Oriental de los Andes.

El territorio del departamento se ha dividido en seis provincias.

PROVINCIA DE SOTO

Es la región montañosa del norte; en ella se encuentra Bucaramanga, capital del departamento, llamada la "Ciudad de los Parques". Fue fundada en 1622 en una terraza inclinada de la cordillera Oriental a 1.018 msnm y su temperatura media es de 23 °C. Por allí pasa la carretera bolivariana que une Bogotá con Caracas y la vía que va a Santa Marta. La ciudad es un importante centro cultural que cuenta con numerosas instituciones educativas. Como parte de la zona metropolitana de Bucaramanga está la población de Girón, lugar en el que cada una de sus construcciones, sus calles y plazas es una verdadera joya; allí funciona el Museo de Arte Religioso.

PROVINCIA COMUNERA

Se encuentra en el nororiente del departamento y es célebre por haber sido cuna de la insurrección comunera iniciada en la villa del Socorro en 1781. Es una provincia con vocación agrícola en la que sobresale la caña de azúcar, cultivada principalmente en los municipios de Suaita, Palmas del Socorro y Simacota. En esta provincia se localizan hermosos pueblos como Suaita, Oiba y Confines, cuya iglesia fue declarada monumento nacional.

PROVINCIA DE GUANENTÁ

Ocupa la parte central del departamento, área que habitó la tribu de los guanes. En ella se encuentran ciudades como San Gil y Barichara, población que fue declarada monumento nacional.

PROVINCIA DE MARES

Comprende la región del Magdalena Medio. En ella se encuentra el puerto de Barrancabermeja, capital petrolera de Colombia, y Zapatoca, ciudad que tuvo una gran importancia en la segunda mitad del siglo XIX cuando los alemanes la convirtieron, con Bucaramanga, en centro de comercio con Europa.

PROVINCIA DE GARCÍA ROVIRA

Comprende la zona oriental del departamento; es un lugar donde abundan cascadas, cuevas y manantiales de aguas termales; al sur está el importante cañón del Chicamocha.

PROVINCIA DE VÉLEZ

Está situada al sur, en la tierra del bocadillo veleño y centro folclórico del departamento.

Norte de Santander

Al norte y al oriente, el departamento marca la frontera con la República de Venezuela. En el límite con Santander se forma el nudo orográfico de Santurbán, donde la cordillera se bifurca en dos ramales: el nororiental se interna en Venezuela con el nombre de Serranía de Mérida y el que va hacia el noroeste forma la mesa de Ocaña y luego recibe el nombre de serranía de los Motilones, serranía de Valledupar y serranía de los Montes de Oca.

En el departamento se pueden distinguir tres regiones físicas: la quebrada de la serranía de Motilones en cuyas partes altas y selváticas se encuentran algunas tribus indígenas y donde tienen origen varios ríos cuyas aguas forman parte de la cuen-

Página 132, arriba: la panela, extraída de la caña de azúcar, es especialmente originaria de Santander. Muchos habitantes de la región derivan el sustento del trabajo en los trapiches paneleros. Por otra parte, el proceso del tabaco demanda gran mano de obra. Las hileras de hojas de tabaco deben secarse durante 40 días antes de seleccionar las diferentes calidades. Abajo: la dulce piña perolera, propia de las tierras ácidas de Santander, es distribuida desde Lebrija al resto del país. Los objetos de barro, paja, madera, algodón o yeso son el producto de laboriosos artesanos que transforman dichas materias primas en *souvenirs* o utensilios decorativos.

ca del lago de Maracaibo; la segunda, que está constituida por el ramal que se desprende del Nudo de Santurbán; y la tercera, que corresponde a la vertiente y valle del Catatumbo, en cuya zona se inició en 1920 la explotación del petróleo que se transporta por un oleoducto hasta el puerto de Coveñas en el Caribe.

CÚCUTA

Los territorios de la jurisdicción del municipio de El Zulia son en su mayoría montañosos, con alturas que alcanzan los 2.200 msnm; hacia el oriente hay una zona ligeramente ondulada que conforma el valle del Zulia. Dada la conformación del relieve, los suelos térmicos son cálidos, medio y frío; riegan estas tierras los ríos Peralonso, Zulia y San Miguel.

Situada en el valle del Zulia está la capital del departamento, fundada en 1773 con el nombre de San José de Cúcuta. En 1875 fue destruida totalmente por un terremoto y en 1900, durante la guerra de los Mil días, fue sitiada y destruida de nuevo. Tiene una temperatura media de 32 °C y está adornada con hermosos parques como el Colón y con amplias avenidas. La Catedral, la Casa de la Cultura y el Instituto de Bellas Artes son otros atractivos de la ciudad. Debido a su posición fronteriza, Cúcuta mantiene un comercio muy activo con Venezuela y sus habitantes la visitan constantemente.

Otras ciudades son Pamplona, fundada en 1549, importante centro educativo durante la Colonia, y poseedora de una gran riqueza artística; en ella se instalaron y montaron sus talleres pintores, escultores, tallistas y orfebres, cuyas obras se pueden apreciar en iglesias y museos. Ocaña fue sede de la Convención de 1828 y en las afueras de la ciudad se encuentra el Área Única Natural de Los Estoraques, conjunto de extrañas formaciones producidas por la erosión y donde se encuentran especies de fauna únicas en el mundo.

Un recorrido por los pueblos de Santander arroja múltiples imágenes de variada arquitectura, especialmente en lo atinente a las iglesias, ubicadas en plazas pintorescas.

Arriba: la población de Girón, en la zona metropolitana de Bucaramanga, fue declarada monumento nacional por sus bellas construcciones del período colonial; la catedral de Barichara, una de las poblaciones más bellas y mejor conservadas de Colombia, tiene una sobria fachada en la que se destaca el magnífico trabajo de la piedra. Abajo: San Gil, llamada la "Perla del Fonce", fundada en 1689, es actualmente la tercera ciudad del departamento; la iglesia de Confines, uno de los pueblos más apartados de Santander, fue declarada Monumento Nacional.

Arriba: casa de Luis Perú de Lacroix, edecán del Libertador Simón Bolívar, desde cuyo patio interior se ven las torres de la

iglesia de San Laureano. Abajo: el Club de Soto, construido en 1873, se convirtió años más tarde en el Club del Comercio.

De los pueblos de traza española erigidos en Santander, Barichara ofrece el conjunto más armonioso, con sus calles empedradas y mansiones del siglo XVIII. A esta población, designada Monumento Nacional, convergen artistas de todas las expresiones, quienes la consideran el lugar ideal para vivir y crear.

Página 140: **en las riberas del río Magdalena, a sólo dos horas de Bucaramanga, se levanta Barrancabermeja, importante centro de la industria petrolera, rodeada de vegetación tropical.** Derecha: **la ceiba centenaria de Charalá, símbolo de libetad.** Abajo: **muy cerca de San Gil, los jardines El Gallineral, un atractivo ambiente natural y turístico.** En esta página: **estoraques, formaciones rocosas en el Norte de Santander donde se hallan especies únicas en el planeta.**

Vélez fue el primer asentamiento urbano fundado por los españoles en Santander, en 1539; actualmente es el principal productor de bocadillo veleño, el producto alimentario más típico de la región, elaborado a base de guayaba.

El departamento de Santander tiene lugares de gran belleza, como la cascada Afrodita, en cercanías de San Gil.

En la Villa del Rosario, en las cercanías de Cúcuta, se conserva el Templo, histórico lugar en cuya sacristía se realizó el primer

Congreso Constituyente de Colombia en 1821 y que está ubicado en la plaza de Los Mártires, donde fueron fusilados muchos

patriotas en la época del terror, durante la "pacificación" que llevó a cabo Pablo Morillo.

Región Caribe

La costa Atlántica colombiana cubre un territorio de 127.518 km^2 y un área insular de 46.000 km^2. Sus principales zonas geográficas son la península de La Guajira, la Sierra Nevada de Santa Marta, el delta magdalenense, las llanuras del Caribe, los valles del Sinú y Alto San Jorge, la depresión momposina, la región de Urabá y el archipiélago de San Andrés y Providencia. Está integrada por los departamentos continentales de La Guajira, Magdalena, Cesar, Bolívar, Sucre, Córdoba y el insular de San Andrés y Providencia.

Al arribo de los españoles, las llanuras del Caribe colombiano estaban habitadas por tribus indígenas que habían alcanzado un elevado estadio de cultura. Una de esas tribus, los zenúes, había construido en la hoya del río San Jorge un complejo de canales de drenaje que cubría una extensión aproximada de 500.000 hectáreas. Eran grupos pacíficos cuya riqueza, sobre todo la de sus ofrendas funerarias, despertó la codicia española. Las comunidades fueron prácticamente aniquiladas y sus sobrevivientes terminaron por dispersarse durante el siglo XVII.

Otra importante cultura precolombina, los taironas, construyeron una compleja red de caminos y ciudades de piedra en la Sierra Nevada de Santa Marta. Sus descendientes aún habitan las altas cumbres.

La región Caribe fue la primera en poblarse; así mismo, la primera en ser explorada por los conquistadores españoles. Posteriormente, Santa Marta, Cartagena, Riohacha, la villa de Tolú y el puerto fluvial de Mompox, permitieron organizar la exploración hacia el interior del país. La importancia posterior de la región ha crecido con el tiempo, ya que la cuenca del Caribe constituye la verdadera integración de las tres Américas.

La población costeña de los tiempos modernos es el fruto del mestizaje de tres etnias que se confundieron a lo largo de los siglos: los españoles, los indígenas y finalmente los africanos que llegaron a reemplazar a los segundos en el trabajo de las minas, los ingenios y trapiches y en las faenas agrícolas de las plantaciones.

El "Mar de los siete colores" de la isla de San Andrés.

Durante los siglos XVI y XVII, los negros esclavos que escapaban de sus amos fundaban "palenques", pueblos que con el tiempo llegaron a ser tan poderosos como San Basilio que, resguardado por empalizadas, fosos y trampas, se mantuvo como poblado independiente durante toda la Colonia y hasta que se dio la libertad a los esclavos en 1851.

El mestizaje se aceleró con la aparición de las haciendas, donde se contrataban trabajadores "libres" para las labores agrícolas. La nueva mano de obra se estableció en las vecindades de las haciendas o en las mismas tierras del "señor". Con el mestizaje racial se dio el mestizaje cultural. El hacha y la hachuela, junto con el fósforo y la piedra de candela, se añadieron a la costumbre indígena de la tala y la quema, y aceleraron la destrucción de las selvas con el propósito de incorporar nuevas tierras a la frontera agrícola.

La incorporación del hierro en la fabricación de herramientas incrementó la eficacia del trabajo. La religión católica traída por los españoles reemplazó los mitos y creencias de los indígenas y la liturgia negra de los esclavos se mezcló con las creencias de los nativos y con la doctrina y el ritual cristiano.

La música y las canciones negras e indígenas se incorporaron al culto y a las fiestas. Los tambores africanos sirvieron de matriz para la caja vallenata del Cesar, Magdalena y La Guajira; las flautas y las gaitas hechas de caña, utilizadas por los indígenas se incorporaron a la música vernácula del Caribe, enriquecida con el aporte europeo de la guitarra, la pandereta y el acordeón.

La creación literaria se manifiesta en la saga de los Buendía, personajes centrales de *Cien años de soledad*, novela de Gabriel García Márquez que le ha dado la vuelta al mundo y le ha ganado a Colombia el apelativo mismo de Macondo. Las pinturas de Alejandro Obregón y de Enrique Grau, los vallenatos de Alejo Durán y de Rafael Escalona son patrimonio nacional que representa la mejor imagen del país. La creatividad costeña se manifiesta en el sincretismo religioso, en sus creencias populares, sus danzas y fiestas que se despliegan con tanta vivacidad y alegría en todas sus celebraciones y ante todo en el Carnaval de Barranquilla.

Página 146: torre de la iglesia de Santa Bárbara en Santa Cruz de Mompox. En esta página, izquierda: los vientos alisios y las palmeras hacen parte del trópico que caracteriza al país. Abajo: algunos nativos de las islas encuentran sustento económico en la confección artesanal de objetos para el visitante, como es el caso de los sombreros de hoja. Derecha: una arquitectura que interpreta el legado del pasado e incorpora elementos y tipologías de la colorida arquitectura caribe.

Cartagena de Indias

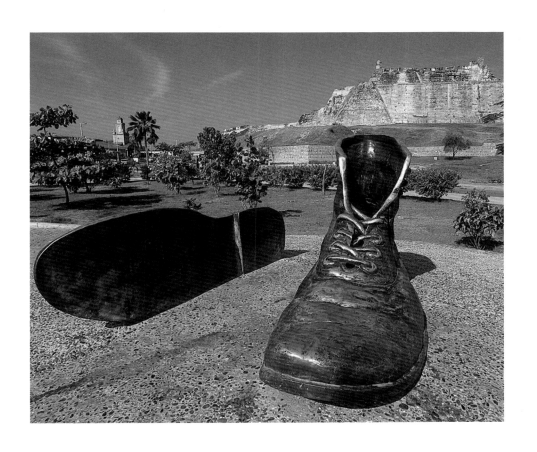

Situada en una de las bahías más hermosas del continente, Cartagena de Indias, capital del departamento de Bolívar, fue desde su fundación por don Pedro de Heredia en 1533, uno de los puertos más importantes del vasto imperio colonial español en América, y por lo mismo, una plaza codiciada por piratas y corsarios, así como por Inglaterra y Francia, que rivalizaban con España por la hegemonía comercial.

Gracias a las condiciones privilegiadas de la zona –una bahía natural rodeada de caños, islas, ciénagas y lagunas que se cuenta entre las más grandes y seguras del mundo–, Cartagena pronto adquirió importancia como puerto marítimo y como punto de penetración hacia el interior del país.

Con el transcurrir del tiempo, se convirtió en el lugar donde se concentraban las enormes riquezas auríferas provenientes de la Nueva Granada, del virreinato del Perú y de otras colonias españolas, así como también en el puerto de llegada de los navíos que traían mercancías de Europa, pobladores y colonizadores españoles y esclavos de África.

Desde 1556 las autoridades españolas emprendieron la compleja tarea de resguardar la ciudad con empalizadas y estacadas contra los eventuales ataques de os indígenas, y posteriormente, con el anillo defensivo más grande e importante que tuviera ciudad alguna en el Nuevo Mundo. Se construyeron murallas y baluartes como Santa Catalina, San Lucas, Santiago y

Página 148: **Castillo de San Felipe de Barajas, el más importante fortín construido en América durante la Colonia.**

Página 149, arriba: **escultura de Tito Lanbraño inspirada en el poema** *A mis zapatos viejos*. Abajo: **la batería de Santo Domingo, una magnífica obra de ingeniería militar construida por el rey Felipe II de España.**

San Pedro, hasta que el núcleo central de la ciudad quedó bien protegido y se extendió la muralla para cubrir el arrabal de Getsemaní. Para defender la entrada a la bahía, por Bocachica, se construyeron los fuertes de San Fernando y San José.

Fue así como nació el castillo más imponente construido por los españoles en el Nuevo Reino de Granada: San Felipe de Barajas, en el cerro de San Lázaro, obra maestra de la ingeniería militar de todos los tiempos. Esta fortificación desempeñó un papel preponderante para defender la ciudad durante el ataque del almirante inglés sir Edward Vernon, en 1741. Hacia la segunda mitad del siglo XVII, Cartagena adquirió fama de ciudad "inexpugnable".

En la ciudad antigua, encerrada entre las murallas y los baluartes que le han valido el nombre de "corralito de piedra", se aprecia un conjunto arquitectónico homogéneo, de impresionante belleza, donde la mayor parte de las construcciones reflejan su herencia andaluza en el patio central, con abundante vegetación, rodeado de arcos y columnas, y en su exterior, con hermosos portones y balcones volados que le dan un ambiente muy especial al conjunto. Adentrarse por sus calles de románticos nombres es un viaje al pasado vivo, para ir descubriendo plazoletas, iglesias, claustros y enormes casonas señoriales.

Cartagena de Indias, declarada patrimonio de la humanidad en 1984, se convirtió en el primer lugar colombiano que ingresó a la Lista del Patrimonio Mundial Cultural y Natural, con la denominación de "Puerto, Fortaleza y Conjunto Monumental de Cartagena".

En la cumbre del promontorio que domina la ciudad está el monasterio de La Papa, cuyo claustro fue magníficamente restaurado.

Ya por fuera del recinto amurallado, vuelve a sentirse el bullicio de una ciudad moderna, con su comercio, su industria y, desde luego, sus lugares turísticos, que en épocas de temporada atraen a miles de visitantes a las playas de El Laguito, Bocagrande y Marbella, flanqueadas por imponentes hoteles y restaurantes. Pero no sólo el turismo anima a Cartagena. Su moderno y amplio Centro de Convenciones, su magnífica infraestructura hotelera, su importante zona industrial y sus encantos tradicionales la han convertido en el punto obligado para la organización de todo tipo de congresos, cumbres presidenciales y conferencias nacionales e internacionales, y para realizar una multitud de eventos, desde el popular Concurso Nacional de Belleza, hasta su Festival de Cine y el de Música del Caribe.

En la península situada al sur de Cartagena se encuentra Barú, con unas playas espléndidas y algunas unidades hoteleras y recreativas. A 45 kilómetros al suroccidente y a unas dos horas en lancha se extienden las islas del Rosario, un archipiélago de formaciones coralinas y aguas transparentes, ideal para el descanso y para practicar actividades náuticas.

Página 150: Centro de Convenciones Gonzalo Jiménez de Quesada, recinto adaptado con máximas medidas de seguridad para convocar eventos de rango internacional. Abajo: el Castillo de San Felipe, instalado en el cerro de San Lázaro, cuenta con pasajes subterráneos a cuyo destino final no se puede acceder debido a que el agua del mar los ha convertido en canales.

Durante el reina o de Felipe II, la Corona española decidió rodear a Cartagena de Indias con murallas, castillos y baluartes para protegerla el ataque de sus enemigos, que la acechaban con el fin de apoderarse de sus riquezas. En esta página: el fuerte de San Fernando, localizado en Bocachica y el baluarte de Santa Catalina, en la ciudad amurallada. En la página anterior: el castillo de San Felipe de Barajas, la obra de arquitectura militar más grandiosa que los españoles construyeron en América.

Dentro del recinto amurallado se encuentra la otra Cartagena, la de las plazas, las iglesias, las calles estrechas y los balcones que le dan a la ciudad un ambiente íntimo y amable. Arriba: al fondo de la calle de la Iglesia se aprecia la torre de la Catedral. Torre de la iglesia de Santo Domingo, la más antigua de la ciudad. Abajo: vista nocturna de la plaza de la Aduana, desde la sede de la Alcaldía. Derecha: al atardecer, los botes turísticos regresan al muelle. El puerto de Cartagena es estratégicamente importante por sus 52 muelles aptos para albergar barcos de diferentes tonelajes, incluso buques de ocho mil a diez mil contenedores.

La ciudad amurallada, el más importante cerco construido por España en el Nuevo Mundo para la protección de la ciudad.

En su interior destacan las edificaciones de la época y la iglesia de San Pedro Claver.

En la foto superior se puede observar el contraste de los tiempos idos y la ciudad que bulle hoy por su desarrollo comercial, hotelero, cultural, industrial y marítimo. Abajo: *La India Catalina*, monumento erigido en honor a una nativa que acompañó al fundador Pedro de Heredia, en calidad de traductora.

Los Laboratorios Román, fundados por Manuel Román y Picón, y dedicados a productos farmacéuticos que aún existen, se hallan posicionados en el mercado de las bebidas refrescantes con su producto estrella Kola Román, que nació en 1883 por iniciativa de un descendiente de la familia. La gaseosa es hoy la más popular y preferida de la costa Atlántica, pues se trata de un producto que incluso hace parte de numerosas recetas de cocina, como consta en el libro *Cartagena de Indias en la Olla*.

Cartagena también es una ciudad moderna con hoteles, centros comerciales, playas y lugares de diversión, que están a la altura de l s grandes ciudades del mundo.

En está página: vista panorámica de El Laguito, donde se concentra gran parte de la actividad turística; el acuario de la isla San Martín de Pajarales, en el archipiélago de Nuestra Señora del Rosario, declarado Parque Nacional Natural.

Cartagena de Indias es una de las ciudades más apetecidas por turistas del mundo entero, pues sus atractivos son divulgados ampliamente.

En esta página: los acuarios marinos en las islas del Rosario, escenario que entusiasma a grandes y chicos. Página siguiente: frutas tropicales, pescados y mariscos hacen parte de la amplia gastronomía cartagenera, a la que se suma un importante legado español, condensado en el *best seller* de cocina *Cartagena de Indias en la olla*, escrito por Teresita Román de Zurek. A lo largo y ancho de la ciudad se levantan reconocidos restaurantes que ofrecen menús típicos o internacionales, pero asimismo, los turistas se deleitan en las playas tomando el sol mientras saborean cientos de alternativas propias del trópico: ceviche de camarones, almejas en licor, calamares en salsa, melones, patillas.

Cartagena ofrec un abanico de tardes inolvidables: las playas o las calles de la ciudad vieja son sólo dos elecciones. Un paseo romántico o familiar en las carrozas de caballos no se puede dejar de lado si el interés es apreciar edificaciones coloniales como el baluarte de San Ignacio, el castillo de San Felipe o el fuerte de San Fernando, entre otras. Conocer las islas de las bahías de Cartagena y Barbacoas es un cometido que millares de visitantes se trazan.

Izquierda: **Iglesia de San Pedro Claver, en Cartagena.** El sacerdote jesuita Pedro Claver dedicó su vida a luchar por los esclavos africanos que llegaban a Cartagena a finales del siglo XVII, por lo que se ganó el apelativo de «esclavo de los esclavos».

Derecha: construido a mediados del siglo XVII, el claustro de San Pedro Claver alberga valiosas obras de arte que traen a la memoria la imagen del santo. A lo largo de tres siglos prestó diversos servicios: fue batallón y sede de la Infantería de Marina. Es una de las construcciones más emblemáticas de la Cartagena colonial con su sucesión de arcos y sus frondosos jardines de jungla.

Santa Cruz de Mompox

En las riberas del Río Grande de La Magdalena, 248 kilómetros al sur de Cartagena y también en el departamento de Bolívar, en medio de una exuberante llanura, rodeada de ciénagas, se levanta la villa de Santa Cruz de Mompox, una de las más bellas joyas arquitectónicas de la Colonia. Fundada en 1540 en una de las pocas elevaciones naturales de la región que fue antiguo asentamiento de los indios malibúes, se convirtió muy pronto en un puerto importante y en ruta comercial para el transporte de mercancías y viajeros entre Cartagena y el interior.

En el siglo XVIII el río cambió de cauce y al quedar aislada, la ciudad perdió su importancia como puerto fluvial. Precisamente esta situación de aislamiento hizo posible que Mompox se conservara casi intacta hasta nuestros días.

Además de cumplir con su función misional y de adoctrinamiento, los franciscanos, dominicos, jesuitas y agustinos colaboraron en el mantenimiento del orden y la sujeción de los nativos a la Corona española. En Mompox, como en la mayoría de las ciudades del Nuevo Mundo, la organización social se dio alrededor de las necesidades religiosas y el desarrollo urbano giró en torno a las iglesias, donde se plasmaron maravillosamente la creatividad y la originalidad de sus construcciones y la rica y variada ornamentación, que mezclaba elementos traídos de Europa con el aporte creativo de los indígenas. En sus calles se yerguen imponentes construcciones civiles, que alternan con edificaciones religiosas ubicadas en las diferentes plazuelas que hacen el encanto de esta cálida población, famosa, entre muchas otras cosas, por sus celebraciones de Semana Santa.

Como reconocimiento a la depurada muestra de arquitectura colonial que conserva, Mompox fue declarada monumento nacional en 1959, y entró a formar parte del Patrimonio Mundial de la Humanidad, atributo otorgado por la UNESCO, en 1995.

Mompox, el "Corazón del Oro", ha visto nacer artistas sin número que le otorgan hermosa formas al oro, la cerámica y el hierro forjado. En esta página: iglesia de Santa Bárbara. Página 165: calle de Santa Cruz de Mompox.

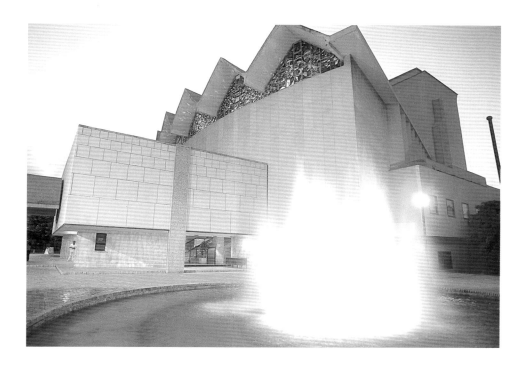

La cultura es un renglón bastante fortalecido en Barranquilla. El Teatro Amira de la Rosa, cuyo telón es obra del maestro Alejandro Obregón, es escenario de intensa actividad cultural.

Página 168: **Edificio Miss Universo, en el centro empresarial de la ciudad.**

Barranquilla

L o que le confirió a Barranquilla su importancia y carácter distintivo fue su ubicación estratégica en la desembocadura del río Magdalena. Desde mediados del siglo pasado, cuando se tendieron líneas de ferrocarril para unir los centros de producción con el río y se le dio impulso a la navegación a vapor, Barranquilla avanzó, atrajo gentes de todas las regiones y se convirtió en una urbe cada vez más populosa, activa e importante. Allí se inició en 1919 la aviación comercial en el país con la empresa aérea colombo alemana de transporte, Scadta, que con el tiempo vendría a ser la Avianca de hoy.

Diversas circunstancias favorecieron al desarrollo de Barranquilla en este siglo y le imprimieron sus distintivos particulares: los inmigrantes, en especial alemanes, norteamericanos y originarios del Cercano y Medio Oriente, hallaron en Barranquilla el terreno favorable para el desarrollo de todo tipo de iniciativas industriales y comerciales. Así, con el capital y la técnica extranjera y el espíritu innovador nativo, muchas empresas prosperaron a ritmo vertiginoso. Por esa misma razón es posible encontrar en la ciudad diversas colonias extranjeras que se han colombianizado en sus costumbres y que hicieron partícipe a la cultura local de sus preferencias gastronómicas y arquitectónicas, para mencionar sólo dos ejemplos.

El desarrollo trajo a Barranquilla el interés por capacitar cada vez más a sus habitantes, y por ello existe en la ciudad una importante oferta de estudios superiores que le han permitido consolidar su prestigio como ciudad cultural, además de su importancia como centro comercial e industrial.

El crecimiento y la modernización de Barranquilla durante el presente siglo han sido impresionantes. En 1920, los hermanos Parrish, de origen norteamericano, en asocio con inversionistas barranquilleros, constituyeron la Compañía Urbanizadora El Prado, y concibieron un barrio que se convirtió en una innovación urbanística en Colombia. En un terreno de 300 hectáreas se cons-

truyó la urbanización El Prado, uno de los más grandes núcleos urbanos del país. La idea era hacer un barrio moderno en las afueras de a ciudad, a la manera de los suburbios de las ciudades norteamericanas; posteriormente se complementó con un Club Campestre y un hotel de gran categoría.

Este ejemplo pronto sería imitado en otras ciudades colombianas. El crecimiento y modernización de Barranquilla no se han detenido. Actualmente, su arquitectura moderna y su desarrollo industrial la han convertido en sede de importantes empresas; está dotada de una infraestructura hotelera acorde con su prestancia como puerto de comercio internacional que brinda al visitante todas las comodidades de una gran metrópoli.

Barranquilla también se destacó como ciudad cultural que irradió su influencia al conjunto de la región Caribe. El Grupo de Barranquilla, conformado por Gabriel García Márquez, Álvaro Cepeda Samudio, Jorge Fuenmayor y otros escritores y artistas plásticos como Alejandro Obregón, ejerció un profundo efecto en el país. De estas tertulias ha quedado un hermoso testimonio en la novela *Cien años de soledad*, de García Márquez, donde se le rinde un homenaje a don Ramón Vinyes, figura tutelar del grupo.

Uno de los grandes atractivos de la "Puerta de Oro" de Colombia es el célebre Carnaval que se realiza hace más de un siglo, durante los 4 días que anteceden al Miércoles de Ceniza, y que ha llegado a formar parte de la cultura barranquillera. Durante este tiempo la ciudad se viste de color y alegría y por sus calles desfilan comparsas, carrozas y cumbiambas que ponen de manifiesto la calidez, emotividad y exuberancia del carácter costeño. Es una fiesta que involucra a toda la población y que atrae multitud de visitantes.

El fútbol es otra de las pasiones de los barranquilleros; su estadio es la sede oficial de la Selección Colombia. Cada cotejo es una fiesta que los barranquilleros saben disfrutar.

La presencia de los españoles en la historia de Barranquilla también se hizo notoria en la arquitectura. La ciudad ostenta numerosas y monumentales casas que integran estilos neoclásicos y mozárabes en una huella que impresiona a casa paso.

Arriba: robles, matarratones, acacias, almendros, cauchos, ceibas, palmeras y muchas otras especies arbóreas se involucran en el paisaje urbano barranquillero, invitando a los paseantes a deleitarse con los jugos de frutas tropicales que se encuentran por doquier.

Abajo: desde hace varios años, los barranquilleros construyen chozas de recreo y sombra a lo largo de las playas atestadas de mujeres bellas.

El Carnaval de Barranquilla, cita que dura los cuatro días que anteceden al miércoles de ceniza, convoca multitudes de visitantes que festejan al compás de porros, cumbias, fandangos y guarachas. En el evento intervienen numerosas manifestaciones y grupos que preparan sus atuendos con un año de antelación. Las negras puloi son símbolo ancestral del Carnaval, así como la Danza del Garabato, el Tigre, el Torito o la Marimonda.

El Edificio de la Aduana es una edificación de contrastes. La fachada principal de este edificio es una muestra del estilo sobrio y elegante que marcó la arquitectura neoclásica en Colombia, pero su armonía se fractura con la que da a la línea férrea, por el estilo simple y ligero con que se diseñaron el frontón triangular y la cornisa.

Arriba panorámica de Barranquilla con el Hotel El Prado, uno de los más tradicionales de la ciudad, en primer plano. El Terminal Marítimo y Fluvial, ubicado en la margen occidental del río Magdalena y dotado con excelentes instalaciones e infraestructura, juega un papel preponderante en el comercio internacional del país. Abajo: El balneario de Puerto Colombia, a 14 km de Barranquilla, tiene atractivas playas y un antiguo muelle, construido entre 1888 y 1893; la Ciénaga Grande de Santa Marta, el mayor lago natural de Colombia, donde hay dos poblados lacustres de pescadores.

Santa Marta

Fundada en 1525 por Rodrigo de Bastidas, Santa Marta es la ciudad más antigua de las construidas por los españoles en Colombia, y actualmente la capital del departamento del Magdalena. Su emplazamiento fue elegido por la belleza y seguridad de su imponente bahía, y desde allí se adelantó la campaña de conquista del Nuevo Reino de Granada. A pesar de haber sido desplazada por Cartagena como principal puerto sobre el Caribe, durante la Colonia Santa Marta fue cabecera de una Gobernación, y como tal, dotada de una arquitectura imponente.

A cinco kilómetros de la ciudad se encuentra la Quinta de San Pedro Alejandrino, la villa del siglo XVII donde murió Simón Bolívar en 1830 y en cuyas instalaciones funcionan el Museo Bolivariano de Arte Contemporáneo y el Museo Tairona.

Santa Marta cuenta con los recursos naturales que la hacen atractiva tanto nacional, como internacionalmente: la vecindad del Parque Tairona y de poblados de pescadores tan encantadores como Taganga, la proximidad de la Sierra Nevada, y sus excelentes playas, convierten a Santa Marta en un sitio de primer rango en del litoral Caribe colombiano. En los últimos tiempos se ha reforzado el sector turístico; a las playas de la ciudad se agregan las de El Rodadero y Gaira.

El Parque Nacional Natural Tairona es sin duda, el recurso natural más importante que posee la zona. Situado en las proximidades de Taganga, hacia el oriente del litoral, tiene una extensión de 15.000 hectáreas: 12.000 de ellas correspondientes a área terrestre y 3.000 a faja marina.

Página 176: **El Morro es símbolo de Santa Marta y faro que guía a los trasatlánticos.**

Durante la noche se pasean románticas parejas en la playa situada al frente.

En esta página: **indígena kogi, habitante de Ciudad Perdida en la Sierra Nevada de Santa Marta.**

Página 178: **terrazas de Ciudad Perdida, importante asentamiento arqueológico hallado en la Sierra Nevada.** La cultura tairona, como se conoce actualmente a los diferentes grupos étnicos que la han habitado, defendió su territorio de la colonización española. Este pueblo es reconocido especialmente por sus excelentes dotes para la arquitectura, las técnicas de orfebrería y cerámica, y su adaptación a la ecología de la Sierra. Actualmente su población suma 32.000 habitantes de las culturas indígenas kogi, arhuaco, wiwa, kankwamo y wayúu.

A la derecha, abajo: **una muestra rupestre, auténtica carta geográfica.**

Sierra Nevada de Santa Marta

La Sierra Nevada de Santa Marta es un macizo montañoso independiente del sistema andino, que se eleva desde el nivel del mar hasta 5.775 metros de altura. En sus estribaciones habitan las tribus indígenas kogi, ijca y sanká, y colonos que se han instalado en sus laderas durante los últimos tiempos. Allí se encuentran dos asentamientos urbanos de la cultura tairona: Pueblito y Ciudad Perdida.

Un ejemplo de los amplios conocimientos de ingeniería y agricultura de los taironas, es buriticá 200, o "Ciudad Perdida", un complejo de terrazas y caminos enlosados, de muros de contención, aljibes, depósitos de agua y canalizaciones para regular el curso de ríos y quebradas. De este pueblo prehispánico quedaron vestigios de más de 200 asentamientos urbanos que durante siglos estuvieron cubiertos por la selva.

Santa Marta es la ciudad más antigua de Colombia. Fue fundada por Rodrigo de Bastidas en 1525, en una de las más bellas bahías del Caribe y en las estribaciones de la Sierra Nevada de Santa Marta. Monumento al fundador, en el legendario Paseo Bastidas.

La Quinta de San Pedro Alejandrino, construcción de estilo mediterráneo del siglo XVIII, fue el lugar que acogió a Simón Bolívar cuando iba camino al exilio; allí murió el 17 de diciembre de 1830. La hacienda conserva las viejas instalaciones, trapiches, destilerías, caballerizas e innumerables recuerdos del Libertador. Recientemente se construyó en sus predios el Museo Bolivariano.

Con edificios de apartamentos y modernos hoteles, almacenes, restaurantes y diversos centros de diversión, el turismo se ha extendido al sur de la ciudad. En temporada de vacaciones, la vida de la playa es de sol y rumba caribe. Izquierda: entre los sitios de interés de Santa Marta sobresalen las iglesias, cuyo estilo se ajusta, entre otros, al patrón de la iglesia romana. En la foto se evidencia una fusión de estilos: fachada triangular y una torre de reducida altura que alberga el típico reloj; puertas y ventanas en arco, naves con bóveda y una cúpula entre la nave y el transepto.

Arriba: el complejo turístico El Rodadero, localizado en la bahía de Gaira, uno de los centros turísticos más atractivos del Caribe, es una ciudadela que cuenta con excelentes hoteles, restaurantes, casinos y discotecas.

Abajo: En una preciosa bahía, al noreste de Santa Marta, está localizada Taganga, una hospitalaria población de pescadores.

La Sierra Nevada de Santa Marta está considerada como el macizo montañoso de litoral más elevado del mundo. Sus máximas alturas son los picos Bolívar (5.775 msnm) y Colón (5.760 msnm). Actualmente está habitada por los indígenas koguis e ícas y sankás, descendientes de los taironas. Abajo: Bahía Gairaca, una de las siete hermosas ensenadas que conforman el Parque Nacional Natural Tairona, localizado en las estribaciones de la Sierra.

La Guajira

En proximidades de Riohacha se encuentra el Santuario de Fauna y Flora.

En esta página: **bandada de flamencos, imagen recurrente en los paisajes de la península de La Guajira.**

Página 186: **indígenas wayúu en La Guajira.**

La región Caribe colombiana comprende numerosos lugares de interés, desde la frontera con Venezuela en la península de La Guajira, hasta el golfo de Urabá en límites con Panamá y sus islas antillanas. El territorio de La Guajira está conformado por la península de ese nombre y parte de las estribaciones de la Sierra Nevada de Santa Marta. La zona peninsular, que corresponde a tierras con algunas serranías de baja altura, comprende la alta Guajira, región semidesértica de escasa vegetación, en la parte más septentrional, y la baja Guajira, que abarca el resto de la península, de características menos secas, aunque de paisaje igualmente árido.

El litoral guajiro presenta accidentes costaneros como las bahías Honda, Manaure y Tucacas, y los cabos de La Vela y Falso. Económicamente el departamento depende de la minería, el comercio y, en menor escala, de la ganadería, la agricultura y el turismo. Son importantes sus recursos carboníferos y la explotación de sal marina.

Riohacha, la capital del departamentol, fue fundada en 1535 por Nicolás de Federmán a orillas del mar Caribe; el municipio depende principalmente de la pesca marina, la agricultura, el comercio y, en los últimos tempos, el turismo, en virtud de sus magníficas playas y en especial por su cercanía al Santuario de Fauna y Flora Los Flamencos.

En la bahía de La Medialuna, parte de una más amplia que es Bahía Portete, se encuentra Puerto Bolívar, punto de embarque por vía marítima del carbón de El Cerrejón, la mayor mina de carbón a cielo abierto del mundo. El puerto está en jurisdicción del municipio de Barrancas, a 105 kilómetros de Riohacha.

En Manaure se encuentran las zonas de tratamiento de sal marina que la hacen apta para el consumo humano; esta labor la realiza exclusivamente la comunidad indígena wayúu.

La península de La Guajira es el territorio más septentrional de Suramérica. Está poblada por indígenas que habitan en rancherías y conservan su cultura y sus costumbres ancestrales. Es una zona desértica que tiene lugares tan bellos y apacibles como el cabo de La Vela; la base de su economía está constituida por la explotación de sal en Manaure y de carbón en El Cerrejón, donde se encuentran las minas de tajo abierto más grandes del mundo.

Página 190: la música y demás objetos característicos de la cultura caribeña, como el sombrero vueltiao, son elementos que enriquecen e cotidiano de estas ciudades.

En esta página, arriba: dada la amplia biodiversidad, el Caribe figura como una de las más importantes potencias ecológicas del mundo, por lo que ha sido llamado a liderar el turismo de naturaleza. Abajo: el eterno sabor de la alegría, propio de las masas caribeñas, contagia al resto del país a participar en toda clase de festividades.

Otras ciudades del Caribe

Valledupar

Desde mucho antes de la llegada de los españoles al actual departamento del Cesar, el Valle de Upar había sido poblado por tribus indígenas y mantenido como un fortín estratégico. Desde el valle resultaba fácil dominar el acceso a las vertientes sur y oriental de la Sierra Nevada de Santa Marta. Hoy la ciudad de Valledupar es la gran encrucijada de los caminos del comercio y el desarrollo regional: los que conducen hacia La Guajira y la frontera venezolana, los que llevan a la antigua zona bananera y a Santa Marta, los que conducen al valle de Ariguaní y, por el sur, los que llevan el fértil valle de Codazzi y por esa vía a la cordillera Oriental y al valle del Magdalena.

En el campo cultural sucede algo curioso: el departamento del Cesar es mediterráneo, pues no tiene costas sobre el mar, pero se considera un departamento costeño, hasta tal punto que si alguien habla de la música costeña, se refiere necesariamente al vallenato, originario del Cesar; en Valledupar se celebra anualmente el festival más importante del género. Económicamente la región gira en torno al comercio, los servicios, la agricultura y la minería.

Sincelejo

En las extensas sabanas de la llanura Caribe, al pie de las últimas estribaciones de la serranía de San Jacinto, se encuentra la ciudad de Sincelejo, capital del departamento de Sucre, conocida también como la "Perla de la Sabana". La ciudad fue fundada hacia 1534 en territorios habitados por tribus zenúes y es célebre en la historia colombiana por haber sido convertida, el 6 de septiembre de 1812, en cuartel general de la Revolución de los Curas, de la que fue cabecilla Jorge

Vásquez, sacerdote de Chinú, quien juró con sus huestes sometimiento y obediencia a la Corona española y a Fernando VII.

En el golfo de Morrosquillo, en el litoral del departamento de Sucre, se encuentran Tolú y Coveñas, cuya principal fuente de ingresos es el turismo. Tolú conserva estupendas muestras de arquitectura popular. Allí se realiza el Sirenato del Mar, en el mes de enero, con fiestas, competencias náuticas y conjuntos de intérpretes de música folclórica y bandas papayeras, tradicionales de la región. Tolú sirve además de punto de partida hacia el archipiélago de San Bernardo.

En cercanías de Sincelejo, está el centro artesanal de Sampués, famoso por su Festival del Sombrero Vueltiao, tradición tejedora originaria de los indios zenúes, quienes fabricaron sombreros tejidos de vueltas continuas de elaborados diseños para protegerse del sol durante la siembra del maíz. El sombrero, de dos colores, se ha convertido en símbolo costeño por excelencia.

Montería

Montería, capital del departamento de Córdoba, fue fundada en el año de 1774 por Juan de Torrezar Díaz Pimienta con el nombre de San Jerónimo de Buenavista; pero como el terreno se inundaba fácilmente fue trasladada por Antonio Latorre y Miranda al lugar que ocupa actualmente, y se llamó San Jerónimo de Montería.

La ciudad, cuya altura sobre el nivel del mar es de 20 metros, está situada en la margen oriental del río Sinú, en una llanura de suelos arcillosos. Montería es puerto fluvial, terminal de la navegación por el río Sinú de pequeñas embarcaciones que unen la ciudad con Cartagena y Barranquilla y que realizan el transporte de pasajeros y el comercio de productos agrícolas entre estos puertos.

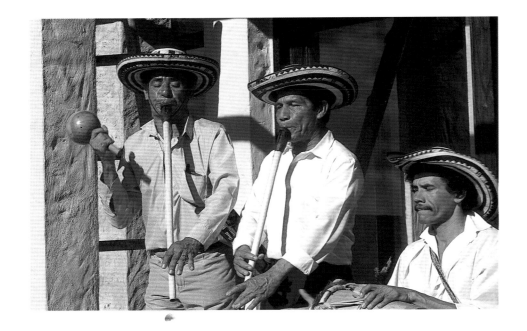

Arriba: una de las múltiples expresiones del folclor costeño: conjuntos usualmente conformados por los cantantes que, como Francisco el Hombre, recogen las leyendas y el acontecer de los pueblos acompañados por instrumentos de viento como las gaitas de percusión como tambores, cajas, tumbadoras, maracas y guacharacas. Abajo: casas de Cereté, Cordoba.

Página 193: Catedral de Montería, recinto asiduamente visitado por los feligreses habitantes de la ciudad y de su periferia.

Arriba: plaza principal de Valledupar, capital del departamento del Cesar, donde se celebra cada año el Festival de la Leyenda Vallenata; detalle de la fachada de una casa en Ciénaga, Magdalena. Abajo: atardecer en el Caribe; vivienda rústica de la costa, que utiliza los materiales de la región; su colorido resalta en medio del calor del trópico.

La vida cotidiana de las ciudades y pueblos del Caribe colombiano dan vida y colorido al mágico Macondo creado por García Márquez. En la foto, la plaza principal de Ciénaga, Magdalena.

Abajo: el cielo y el mar, las formas y los colores representativos de la cultura caribeña.

En las islas de San Andrés y Providencia todo lo mágico converge. El diario vivir de los nativos en comunicación directa con la naturaleza, los ha llevado a desarrollar un elevado potencial artístico. Exponentes de todas las manifestaciones estéticas residen en casas de valor cinematográfico.

Página 196: **Playa Bahía Sardina en la isla de San Andrés.**

San Andrés, Providencia y Santa Catalina

Mención especial merece en el Caribe el archipiélago de San Andrés, Providencia y Santa Catalina, por su situación estratégica para la integración regional, por su belleza y sus atractivos comerciales y turísticos.

San Andrés, la más grande de las tres islas, se encuentra a 700 kilómetros de Cartagena. Su historia difiere de la del resto del país, pues las islas fueron originalmente colonizadas en el siglo XVII por puritanos ingleses, que se instalaron allí con sus esclavos, lo cual explica que sus habitantes conserven tradiciones culturales muy propias; la mayoría de los sanandresanos habla español, inglés y el dialecto nativo y profesa la fe protestante.

El pasado del archipiélago está impregnado de pugnas y batallas pues los españoles pronto comenzaron a disputarles las islas a sus enemigos ingleses. Además, por estar cerca de las rutas de galeones españoles cargados de oro y plata, fueron base ideal de operaciones de asalto. Piratas, corsarios y filibusteros todavía viven en las leyendas de San Andrés y Providencia. En 1793 Inglaterra le reconoció a España la soberanía sobre el archipiélago y en 1822, siendo ya libres los territorios del continente, las islas se adhirieron a lo que en esa época era la Gran Colombia. Desde entonces el archipiélago es colombiano.

San Andrés fue declarado puerto libre en 1953, circunstancia que estimuló la inmigración de personas del continente y exaltó el comercio como uno de los atractivos de la isla, además de su "Mar de Siete Colores", sus playas, su gente y su célebre Festival de la Luna Verde, que congrega las expresiones musicales de la región.

A veinte minutos de vuelo de San Andrés se encuentran Providencia y la contigua isla de Santa Catalina. Providencia es de origen volcánico y posee mayores alturas que las de San Andrés. Sus habitantes han buscado preservar su hábitat autóctono y por esa razón la isla es un lugar ideal para el descanso; no se encuentran grandes hoteles, discotecas, ni comercio: la naturaleza y la tranquilidad ejercen el dominio absoluto sobre este rincón paradisíaco.

Las actividades económicas de la isla están relacionadas con la agricultura, la ganadería y la pesca, que además de producir para el consumo interno, alcanzan a surtir la demanda de San Andrés. El turismo ecológico es otra de sus fuentes de ingreso.

A través de este recorrido por la geografía de la región Caribe colombiana, se puede apreciar el mosaico cultural que le da sus características propias a cada uno de los departamentos que la componen. Su espíritu colectivo, expansivo y eufórico, hace del pueblo costeño uno de los que con más nítidos rasgos se perfilan en la nación colombiana. Por eso no es de extrañar que su música sea escuchada en todo el país y que su narrativa se haya convertido en una de las más auténticas y renovadoras.

En las islas de San Andrés y Providencia se ha dado la fusión de tres culturas: la afroantillana, la anglosajona y la española. La herencia de los habitantes nativos se manifiesta en su lengua, en sus tradiciones y creencias y en la arquitectura, que utiliza básicamente la madera y los colores fuertes.

En la página anterior: tanto San Andrés como las islas periféricas ofrecen amplia gama de corales, a los que concurren buceadores de todos los confines, que alternan su visita a las islas con deportes acuáticos y expediciones a los acuarios.

La fauna, envuelta en una placenta de flora, manglares y vegetación, es, además de la policromía que caracteriza al mar que rodea las islas, la mayor atracción visual y gastronómica. Observar las bandadas de especies es un espectáculo sin parangón, pero degustar una comida típica de cangrejo o jaiba es una tentación a la que nadie se resiste. Entre mayo y junio, la Alcaldía debe cerrar las vías que se encuentran entre la montaña y los sectores de agua dulce, con el objeto de proteger del paso vehicular a los miles de cangrejos que bajan desde allí para desovar.

En la vida sanandresana reina una calma sin par. La pesca y la elaboración de artesanías son dos de las ocupaciones que más adeptos tienen. A las islas han llegado, desde décadas atrás, inmigrantes que decidieron quedarse haciendo arte o negándose a pasar el resto de sus días entre la convulsión de otras urbes.

La isla de San Andrés, la más grande del archipiélago de San Andrés y Providencia, es eminentemente turística; ofrece a los visitantes, además de sus maravillosas playas y su atractivo comercio, todas las comodidades y actividades que hacen placentera la estadía en esa paradisíaca isla rodeada por su famoso "Mar de los siete colores". En esta página: embarcación de la playa de San Luis; el acuario.

Providencia se encuentra a veinte minutos de vuelo de San Andrés; sus habitantes han logrado conservar la pureza de sus tradiciones y proteger su medio ambiente. En esta página: el puente flotante que une a Providencia con Santa Catalina; danza folclórica en Old Town; Cayo Cangrejo, uno de los lugares más visitados de la isla; el apacible paisaje de Bahía Manzanillo.

Antioquia y Región Cafetera

Antioquia está localizada en la región que conforman las vertientes de las cordilleras Occidental y Central en su confluencia sobre el valle del río Cauca. La provincia de Antioquia se creó en 1819 y el departamento en 1830. Entre 1851 y 1856 e territorio quedó fraccionado en las provincias de Medellín, Córdoba y Antioquia y en 1858 pasó a ser estado federal hasta 1886 cuando volvió a ser departamento.

Durante la Colonia y hasta fines del siglo XVIII, cuando comenzaron a agotarse las minas, la economía de la región antioqueña estaba basada en la explotación del oro: Yolombó, Zaragoza, Cáceres, Marmato y Buriticá fueron ricos centros mineros. A partir de entonces y a lo largo del siglo XIX se dio el proceso de la "colonización antioqueña", uno de los hechos socioeconómicos y culturales más significativos de la historia de Colombia, llevado a cabo por un pueblo decidido y trabajador, pilar de una sociedad patriarcal. Arrieros que descuajaban monte, abrían caminos y sembraban en las aderas, poblaron los territorios del viejo Caldas, fundaron pueblos como Carmen de Viboral, Amalfi, Anori, Andes, Jardín, Puerto Berrío, Betania y Venecia e iniciaron el cultivo del café. Además, la colonización que colocó a Antioquia y al Viejo Caldas en la vanguardia de la economía nacional, fue estimulada por políticas de asignación de baldíos.

En el área que había estado habitada por los indios quimbayas, los más destacados orfebres de las culturas prehispánicas colombianas, se fundaron Manizales, Pereira y Armenia, capitales de Caldas, Risaralda y Quindío, los tres departamentos en que se dividió el antiguo territorio del "Viejo Caldas". Estas tres ciudades actualmente son centro del "Eje Cafetero".

Hacienda cafetera en el departamento de Quindío. Desde inicios del siglo XX el café arábigo se consolidó como el mejor café suave del mundo y primer producto de exportación del país. Hace varios años el arábigo, que crecía a la sombra de árboles frutales y matas de plátano, ha sido reemplazado por variedades más rentables que, sin embargo, no protegen el equilibrio de los ecosistemas.

Medellín

La capital de Antioquia, ubicada en el valle de Aburrá, en las estribaciones de la cordillera Central, fue fundada por el visitador Francisco Herrera Campuzano, con el nombre de San Lorenzo de Aburrá, en el lugar donde ahora está el barrio El Poblado. En 1675 el pueblo fue consagrado como Villa de Medellín, eje del gobierno de la región y pronto convertido en el lugar a donde llegaban los arrieros y de donde salían con sus mulas cargadas de mercancías que iban a distribuir por la región; esto hizo necesaria la construcción de caminos que unieran la villa a otros poblados. Debido a su gran desarrollo, en 1826 se trasladó la capital provincial de Santa Fe de Antioquia a Medellín que, impulsada por el desarrollo de la industria minera pasó a ser ciudad, centro de actividad política, social y económica.

La "Capital de la Montaña" se extiende de sur a norte, con el río Medellín como eje central, en una superficie compuesta en su mayor parte por terrenos montañosos; sobresalen los cerros de Nutibara, El Volador, Picacho y Pan de Azúcar. El área metropolitana, conformada por ocho municipios, tiene más de tres millones y medio de habitantes; su altura es de 1.474 msnm y la temperatura media de 23 °C le ha valido el apelativo de "Ciudad de la Eterna Primavera", famosa por sus jardines, sus flores y la variedad de orquídeas que posee.

La ciudad fue creciendo a medida que la producción cafetera cobraba mayor importancia, y en la etapa de industrialización, que se inició a fines del siglo xix, tomó el primer puesto en el establecimiento de la industria textil. En el departamento desarrolló también la fabricación de numerosos productos; contaba con trilladoras de café y molinerías de trigo. En la primera década del siglo xx, la producción de textiles estaba en franca expansión, como también la de confecciones, alimentos, tabaco, entre otras.

"Cuando pasan los silleteros, es Antioquia la que pasa". Es el lema del la tradicional Feria de las Flores de Medellín que se celebra en agosto de cada año, como homenaje a los antepasados que bajaban de las siembras cargados de flores para la venta.

Actualmente, Medellín es una de las ciudades más dinámicas y desarrolladas en los campos comercial y financiero; es la segunda planta industrial de Colombia y la primera planta textil de Suramérica; cuenta con excelentes servicios públicos y con la generación de energía más eficiente del país; es el mayor foco de influencia del noroccidente colombiano y su cultura se ha extendido hacia el territorio de lo que fue el departamento original y hacia el Chocó. Antioquia se destaca por la producción agropecuaria y es el primer productor de oro y de plata de Colombia.

Arquitectura y urbanismo

El centro de Medellín conserva construcciones republicanas como el Hotel Nutibara y el Palacio Municipal; en la arquitectura moderna se destacan los edificios del barrio El Poblado, la torre de Coltejer, símbolo de la ciudad, y el conjunto de edificios de las empresas públicas municipales. La ciudad es ejemplo de sentido de pertenencia de sus habitantes reflejado en la limpieza y el orden, con calles y amplias avenidas bordeadas de árboles. Posee el medio de transporte más moderno del país: el metro elevado que integra los diversos puntos de la ciudad.

La vida cultural es muy activa; hay museos como el de Arte Moderno, el Museo de Antioquia, el Antropológico, la Casa Museo Pedro Nel Gómez y el Archivo Histórico de Antioquia, que guarda una extensa colección de documentos de gran valor histórico; centros de educación superior como la Universidad de Antioquia, la de Medellín, la Pontificia Bolivariana y el Instituto de Bellas Artes. Otros sitios de interés son los teatros Pablo Tobón y Metropolitano, la Catedral Basílica Metropolitana, la iglesia de La Veracruz, el Palacio de la Cultura Rafael Uribe Uribe, el Paraninfo de la Universidad de Antioquia, el Jardín Botánico y la Unidad Deportiva Atanasio Girardot.

El recorrido hacia el cerro Nutibara es un folclórico viaje, pero llegar a la cima es un episodio inolvidable. Allí se encuentra el Pueblito Paisa, réplica del típico poblado antioqueño. La iglesia doctrinera, la barbería, la botica, el granero, una fonda, un restaurante y una casa de inicios del siglo XX son las edificaciones que conforman el lugar desde donde se divisa toda la ciudad.

En la ciudad y en la zona campestre hay gran variedad de excelentes restaurantes, centros comerciales, hoteles, lugares de baile, cafés, bares, tabernas y sitios donde se rinde culto al tango y a la memoria de Carlos Gardel.

Entre los eventos más destacados están el Festival Internacional de Poesía, la Feria Taurina de La Candelaria, que se realiza en el mes de febrero; el Festival de la Trova, una de las expresiones populares más típicas de la región; la Feria Colombiatex, la Feria de la Antioqueñidad, la Exposición Nacional Equina y la Feria del Libro. Entre el 1° y el 7 de agosto se celebra la Feria de las Flores, una fiesta tradicional cuya máxima atracción es el desfile de silleteros, que agrupa a cientos de campesinos cultivadores de flores.

Alrededores

Sus atractivos turísticos, sus facilidades de comunicación con el resto del país por vía aérea y por carretera y el carácter hospitalario de sus gentes, hacen de la ciudad un lugar ideal para la realización de eventos de diversas clases; para ello cuenta con un Centro de Exposiciones y Convenciones que tiene un área cubierta de 8.500 m^2 y de 3.600 para exposiciones al aire libre. El aeropuerto José María Córdova es una de las construcciones mejor logradas del país.

Al oriente de Medellín hay hermosos pueblos como El Retiro, Rionegro, La Ceja, Marinilla, Guarne, El Carmen; también se encuentra la represa El Peñol, importante centro náutico.

La ruta dorada llega hasta Puerto Triunfo y alberga lugares de gran belleza como el cañón del río Claro, la gruta de la Danta, la caverna de la Cascada y la caída de la Cuba, muy cerca de un refugio ecológico. El circuito de occidente va durante un buen trecho paralelo al río Cauca y pasa por poblaciones como Santa Fe de Antioquia, declarada Monumento Nacional. La ruta del oro tiene hermosos paisajes naturales y conduce a las poblaciones de Barbosa, Yolombó y Amalfi.

La región cafetera sorprende por su topografía irregular y por su clima; allí se encuentran Caldas, Montebello, Santa Bárbara, Jericó, Fredonia y el Parque Nacional de las Orquídeas en Urrao.

Algunos antioqueños han encontrado su fuente de ingreso en el Pueblito Paisa, lugar al que acude el visitante para capturar una imagen ancestral de Medellín.

Página 211: en inmediaciones de los municipios de Guatapé y El Peñol, al pie del embalse de las Empresas Públicas, donde los antioqueños practican deportes náuticos los fines de semana, se encuentra la piedra de El Peñol, lugar turístico en cuyos alrededores muchos medellinenses han instalado sus casas de recreo.

En la página anterior: un interior típico de hogar antioqueño. Actualmente las haciendas o casas de campo conservan con mayor fidelidad este tipo de ambiente arriero.

En esta página: los caciques y la mitología indígena se encuentran plasmados en esculturas instaladas en diferentes puntos de la ciudad. El *Cacique Nutibara* (arriba) y *La Madremonte* (abajo), obras en bronce del maestro José Horacio Betancourt, erigidas en el Cerro Nutibara.

El desarrollo urbanístico de Medellín es notorio, lo que la convierte en una de las ciudades de Colombia más organizadas y estéticas en lo que refiere a infraestructura vial. Izquierda: complejo vial de La Aguacatala en el sector de El Poblado. Estos anillos permiten que el transporte en la ciudad funcione sin embotellamientos. El metro, por su parte, el primer sistema de transporte masivo del país, atraviesa el Valle de Aburrá de extremo a extremo generando mejor calidad de vida para sus habitantes.

Uno de los principales atractivos de la ciudad es su intensa actividad comercial, cuyo desarrollo se puede apreciar en los grandes centros comerciales, como el Villanueva, que funciona en el antiguo claustro del seminario. Antioquia fue pionera en la creación y el desarrollo de la industria textil que, con la confección, constituyen actualmente importantes fuentes de trabajo y de ingreso. El edificio de Coltejer es un símbolo de la Medellín moderna. En la página opuesta se observa el contraste comercial y cultural de Medellín: los arrieros, las mujeres bellas y los artesanos de la manufactura paisa.

La situación geográfica de Medellín en el corazón del Valle de Aburrá y su clima privilegiado hacen de la región una de las más ricas en a producción de flores. Entre el 1 y 7 de agosto de cada año la población celebra la Feria de las Flores, fiesta tradicional cuyo ev nto central es el desfile de silleteros, que agrupa a los campesinos que bajan de las montañas cargando espléndidos arreglo florales. El desfile es acompañado por grupos de danzas, conjuntos de tipleros y bandas típicas.

De la antigua estructura urbana de la ciudad se conservan hoy muchas construcciones de gran valor arquitectónico e histórico, como la Basílica Metropolitana, localizada en la Plaza de Bolívar, la iglesia de San Ignacio, la Universidad de Antioquia, cuya magnífica remodelación fue recientemente terminada, y la estación del ferrocarril, construcción de estilo republicano.

En la ciudad recientemente se han instalado bellas esculturas, como las realizadas por Fernando Botero, uno de sus hijos más ilustres. *Torso masculino, Figura femenina* y la *Paloma de la paz,* son algunas de las obras de este artista que embellecen a Medellín.

Estación del Ferrocarril de Antioquia, un edificio recientemente restaurado. Su estilo republicano contrasta con la moderna arquitectura que se ha desarrollado en sus alrededores.

Desde hace mucho tiempo, la ciudadanía y las autoridades de Medellín han asumido el compromiso de hacer del espacio público el escenario para una coexistencia amable. Como consecuencia de esto, casi todo edificio, centro comercial o vía de la ciudad ha sido cuidadosamente planificado y construido con el propósito de mejorar la calidad de vida de todos sus habitantes.

La mayoría de las poblaciones de los alrededores de Medellín conservan la arquitectura tradicional de la colonización antioqueña y las formas típicas de transporte, como el bus escalera, que reemplazó a la mula de los viejos arrieros. Arriba, derecha: Santa Fe de Antioquia, uno de los más bellos municipios de la región y la primera capital que tuvo el departamento. Abajo, izquierda: en Jardín, al sur de la capital antioqueña, se conservan casi intactas las tradiciones del siglo pasado. Una de las más sorprendentes obras de ingeniería del país es el puente colgante de Oriente, declarado Monumento Nacional.

En la página anterior: **hacienda cafetera.**

En esta página: **la arquitectura típica de Antioquia, presente en todas las poblaciones del Eje Cafetero, se caracteriza por la utilización armónica y vistosa del color en puertas y ventanas.**

Región Cafetera

D esde comienzos del siglo xix los pobladores de La Ceja, Abejorral y Sonsón iniciaron la ocupación de las tierras localizadas al sur del río Arma. La fundación de Salamina y Aguadas constituye un hito de la corriente migratoria que amplió la frontera económica, social y política de Antioquia. Se establecieron poblaciones como Pácora, Quinchía, Neira, Manizales, Fresno, Chinchiná, Líbano, Apía, Samaná, Finlandia, Armenia y Montenegro. La empresa, que se prolongó hasta bien entrado el siglo xx, abrió nuevos poblados en territorios del Tolima y el Valle del Cauca.

Contribuyeron a darle realce a la empresa colonizadora, la apertura de vías férreas que comunicaron los municipios con los puertos sobre los ríos Magdalena y Cauca y la expansión del cultivo del café, con el que Colombia entró de lleno en los mercados internacionales. Fruto de este comercio fue la acumulación de enormes capitales que hicieron posibles otras industrias y el surgimiento del sector financiero en Antioquia. La llamada zona cafetera, que se conformó en el Viejo Caldas, dedicó prácticamente todo su territorio al cultivo de la rubiácea y creó una cultura típica común a la región, que es notoria en la comida, en la estructura familiar y en la denominada "arquitectura de la colonización", en la que predominan el uso de la guadua y otras maderas, los colores vivos en la ornamentación y los amplios corredores atestados de flores que rodean los entornos de las casas.

Parques naturales

Geográficamente, toda la región cafetera se extiende en torno a la cordillera Central. Allí se encuentra el macizo montañoso que integra el Parque Nacional Natural de Los Nevados, creado en 1974, con un territorio que comprende zonas de los departamentos de Caldas, Risaralda, Quindío y Tolima. Tiene un área de 58.300 hectáreas, con alturas que van desde los 2.500 hasta los 5.400 msnm, y variedad de climas que abarcan desde el bosque alto andino, hasta el páramo y las nieves perpetuas.

En este macizo se originan gran cantidad de ríos y corrientes que surten de agua toda la región central de Colombia. Allí se puede admirar la majestuosidad de los picos nevados del Volcán Nevado del Ruiz, de 5.400 msnm; el Nevado del Cisne, de 4.800 msnm; el de Santa Isabel, de 4.950 msnm, el más hermoso del conjunto con su cima conformada por tres picos; el del Quindío, de 4.800 msnm, y el del Tolima, de 5.215 msnm.

La región cafetera también posee varios parques y reservas naturales, entre los que se destacan el Parque Regional Ucumarí, cerca de Pereira, y la Reserva Forestal La Nona, en Marsella, Risaralda; la Reserva Natural Zona Alta Río Quindío, en el departamento del mismo nombre; y en Caldas, la Reserva Forestal de Donada y Los Chorros, en Aranzazu, y la Reserva Forestal de Florencia, en Samaná.

Caldas

La mayor parte del territorio de Caldas está situado en tierras de clima medio y subandino en la cordillera Central, con suelos propicios para el cultivo del café, por lo cual su producción está entre las primeras del país. También se cultivan otros productos como caña de azúcar, yuca, maíz, fríjol y papa. En 1905 se creó el departamento de Caldas, con capital en Manizales, y en 1966 se desmembraron de su territorio los departamentos de Risaralda y Quindío. En la actualidad el departamento está constituido por 25 municipios.

Manizales es la más antigua de las tres capitales cafeteras. Se encuentra enclavada en un terreno muy quebrado de 2.150 msnm, que hace de su configuración urbana una red de calles empinadas. En su vecindad se eleva imponente el Volcán Nevado del Ruiz. Manizales es un importante centro comercial y líder cultural de la región. Es una ciudad moderna que crece a un ritmo vertiginoso, y si bien su principal actividad económica sigue girando en torno al café, también cuenta con diversas industrias y una importante actividad comercial y financiera.

En 1922, 1925 y 1926, el fuego destruyó buena parte de importantes construcciones representativas de la arquitectura regional. En años posteriores se construyeron edificios de diseño europeo, entre los cuales sobresale la Catedral, construida con planos franceses y en estilo gótico, que se ha convertido en el símbolo de la ciudad y reflejo de la profunda religiosidad de sus habitantes.

Desde 1969 se realiza en el mes de septiembre el Festival Internacional de Teatro, con la participación de grupos profesionales, universitarios, experimentales, callejeros y de pantomima, del país y del mundo entero. Por otra parte, la Feria de Manizales, que se lleva a cabo entre el 2 y el 6 de enero, ha llegado a ser una de las celebraciones populares más importantes del país.

En la vecina localidad de Riosucio se festeja cada dos años el Carnaval del Diablo, en el que se le rinde culto a un diablo bueno, en medio de comparsas que aluden con ironía y humor a la situación nacional e internacional.

Otros municipios de Caldas dignos de mencionar son: Salamina, declarado Monumento Nacional por su hermosa arquitectura regional; Chinchiná, que cuenta con el Centro Nacional de Investigaciones del Café (Cenicafé); Aguadas, declarado Monumento Nacional por sus construcciones de bahareque; La Dorada, único puerto caldense sobre el río Magdalena e importante centro ganadero; Marmato, llamado el "Pesebre de Oro de Colombia" por su gran tradición aurífera y su bella arquitectura tradicional, y Palestina, en cuyos alrededores se encuentran varios centros vacacionales.

El pico Morro Negro, en el nevado del Tolima, sitio de encuentro para nacionales y extranjeros amantes del montañismo.

Risaralda

El territorio del departamento es montañoso; forma parte de las cordilleras Central y Occidental, con una región plana que corresponde al valle del río Risaralda. Sus tierras fértiles están constituidas por cenizas volcánicas. Entre la producción agrícola se destacan los cultivos de café y caña de azúcar.

Pereira, la capital del departamento, fue fundada por colonos antioqueños y vallunos encabezados por el sacerdote Remigio Antonio Cañarte, a orillas del río Otún. En poco tiempo, y por el empuje de sus gentes, se ha convertido en una ciudad muy activa, donde predominan las confecciones y la metalmecánica. Conocida como la "Perla del Otún", Pereira cuenta con un importante Centro de Convenciones y con hoteles de primera categoría.

En la plaza central está el monumento conocido como el *Bolívar desnudo*, del escultor antioqueño Rodrigo Arenas Betancourt; en la Universidad Tecnológica el *Prometeo encadenado*, el *Monumento a los fundadores,* en el que sobresale el "hombre-fuego", homenaje al esfuerzo y coraje de los antepasados, y el *Cristo sin cruz* en el Santuario de Nuestra Señora de Fátima.

A 12 kilómetros de Pereira, en la vía a Manizales, se encuentra Santa Rosa de Cabal, población fundada en 1844, notable por su arquitectura campesina.

Otros municipios dignos de mención en Risaralda son: Apía, población de calles empinadas y esmerada arquitectura; Marsella, fundada en 1860 durante la "fiebre del oro", sede del Jardín Botánico Humboldt, donde se encuentran 300 especies nativas y Santuario, en cuya jurisdicción está el Parque Nacional Natural Tatamá.

Quindío

El departamento del Quindío se extiende sobre la vertiente occidental de la cordillera Central. El territorio, en su mayor parte quebrado, es una fértil hoya hidrográfica; algunas zonas poseen un relieve suave. Tiene gran variedad de climas, pero predomina el templado. Además del café, producto que cubre gran parte del territorio, se cultivan el plátano, la yuca, la caña panelera, el cacao, el aguacate y numerosas frutas tropicales como el

maracuyá, la granadilla, la pitahaya y la sandía. También sobresalen la ganadería, el comercio y la industria manufacturera. El departamento está compuesto por 12 municipios.

Armenia, la capital, recibe el calificativo de "Ciudad Milagro", por su impresionante desarrollo y por la pujanza de su pueblo, gente amistosa y emprendedora. En sus predios son notables los parques, que por su excelente diseño y frondosa naturaleza, enorgullecen a sus habitantes.

Entre los logros arquitectónicos de Armenia sobresale el Museo de Quimbaya, obra de Rogelio Salmona, dedicado a esta cultura precolombina que tuvo asiento en la región. La obra mereció el Premio Nacional de Arquitectura en 1986 y está catalogada entre los museos más bellos del mundo. El antiguo edificio de la Estación del Ferrocarril es una de las pocas muestras de estilo republicano que tiene la ciudad.

En las afueras de Armenia está el Parque del Café, que ofrece una muestra excelente de sus distintas especies y un ejemplo logrado de lo que es una finca cafetera típica y de las diferentes labores que conforman la cultura cafetera que le da su sabor y aroma a la región.

Entre las poblaciones más destacadas del Quindío se pueden citar: Calarcá, fundada en 1886 por colonos antioqueños, cuyo nombre recuerda al cacique de los Pijaos, tribu que opuso feroz resistencia a las tropas españolas; su centro histórico fue declarado Monumento Nacional, en virtud de la tradicional arquitectura de bahareque; Salento, cuna del Árbol Nacional, la palma de cera del Quindío; desde el Alto de la Cruz se observa el valle de Cocora, localizado a 12 kilómetros de la población, en donde se yerguen centenares de estas palmas; Montenegro, pueblo fundado en 1892, donde se encuentra el Parque-Museo de la Cultura Cafetera, dedicado a ilustrar todo lo relacionado con el café; Córdoba, hacia el sur del departamento, que se conoce por su Centro Experimental del Bambú-Guadua, donde se investigan los múltiples usos de esta planta; Pijao, ganador del concurso "El Pueblo Más Lindo del Quindío"; y Génova, situada en medio de altas montañas ideales para practicar el andinismo y el ecoturismo.

Riosucio, población caldense famosa por la celebración del Festival del Diablo, festividad tradicional que se lleva a cabo cada dos años en los primeros días del mes de enero; Pácora, famosa por la hospitalidad de sus gentes.

Manizales, caracterizada por su elegancia y señorío, nació en el cruce de caminos que conducían a Antioquia, Cauca, Cundinamarca y Tolima, y se desarrolló a partir de la actividad comercial, hasta convertirse en centro vital de la región y capital del departamento de Caldas. En la década de los años veinte la ciudad fue destruida por varios incendios. En la primera semana de enero se celebra la Feria de Manizales, famosa por sus corridas de toros y por el Reinado Internacional del Café. En la página siguiente: la Catedral, uno de los símbolos de la ciudad.

Pereira, la "Perla del Otún", es la ciudad que ha tenido mayor desarrollo industrial y urbanístico en el Eje Cafetero. Su extensa área metropolitana llega hasta el municipio de Dosquebradas y cuenta con una excelente infraestructura vial, de la cual forma parte el moderno viaducto colgante César Gaviria, que agiliza el tráfico vehicular.

La Plaza de Bolívar es el corazón de la ciudad; en ella se realiza la mayoría de los eventos populares. El *Bolívar desnudo,* símbolo de la ciudad, se considera una de las obras más logradas del escultor antioqueño Rodrigo Arenas Betancur. En uno de los costados de la plaza se encuentra la catedral de Nuestra Señora de la Pobreza.

Armenia, capital del departamento del Quindío, fue llamada por el maestro Valencia la "Ciudad Milagro de Colombia", por

la voluntad férrea de sus habitantes, herederos del espíritu colonizador de sus ancestros.

En está página: dos aspectos de la Plaza de Bolívar: el *Monumento al esfuerzo,* del maestro Rodrigo Arenas Betancur y los vitrales de

la catedral de La Inmaculada Concepción, moderna estructura cuya planta tiene forma de cruz latina.

En esta página: **panorámica de la ciudad de Armenia; el Museo Quimbaya, Premio Nacional de Arquitectura en 1986, obra del arquitecto Rogelio Salmona, que guarda una valiosa colección de orfebrería y cerámica quimbaya, una cultura precolombina que elaboró maravillosas piezas reconocidas mundialmente por la perfección y la belleza de sus diseños.**

La topografía de los departamentos del Eje Cafetero, propia de las vertientes de las cordilleras Central y Occidental, es fuertemente escarpada y tiene suelos muy ricos, que producen gran cantidad de especies nativas, entre las que se destaca una inmensa variedad de orquídeas y la palma de cera, la especie de palmera que crece a mayor elevación sobre el nivel del mar (hasta 3.200 msnm) y que se considera el árbol nacional. En medio de la belleza natural de esta zona se extienden las plantaciones de café, bajo el sombrío de matas de plátano y árboles frutales.

Los habitantes de la Región Cafetera han conservado con orgullo sus costumbres. Una de las expresiones más autóctonas es el vivo colorido que les dan a las fachadas de sus viviendas, tanto campesinas como urbanas, al medio de transporte popular, que son los buses escalera y a todas las manifestaciones de su ámbito regional. En está página: bus escalera; finca en Montenegro, Quindío; Parque de Quimbaya; monumento en el Parque Nacional del Café.

Pacífico

El litoral colombiano sobre el Pacíficc tiene 1.300 km de costas desde la región del Darién en límites con Panamá, al noroccidente, hasta la frontera con Ecuador en el sur. Esta zona es una estrecha franja selvática entre el océano y la cordillera Occidental, que posee uno de los ecosistemas del planeta más ricos en biodiversidad; en algunos lugares se han encontrado hasta 265 especies vegetales diferentes por hectárea de terreno, la mayoría de las cuales son endémicas.

La región se caracteriza por una formación de selva baja neotropical muy húmeda, con árboles corpulentos que alcanzan los 40 metros de altura y en los que abundan las orquídeas y las bromelias. El estrato bajo de la selva está constituido por numerosas especies endémicas tanto en flora como en fauna.

La división topográfica de la región está marcada por Cabo Corrientes; hacia el norte el terreno es escarpado y al sur bajo y anegadizo, cubierto de manglares y cruzado por ríos, caños y esteros. En la región hay cerca de 250 ríos de curso corto pero muy caudalosos, influidos por mareas en los cauces bajos.

Los departamentos de Chocó, Valle del Cauca, Nariño y Cauca tienen costa sobre el Pacífico. Las principales ciudades de la región son Quibdó, capital del Chocó, a orillas del ríc Atrato; Buenaventura en el departamento del Valle, principal puerto colombiano sobre el Pacífico, y Tumaco, en la costa de Nariño, segundo puerto del país sobre el Pacífico. La economía de la región depende de la explotación forestal, la pesca y la minería del oro y del platino.

Las difíciles condiciones de la selva obligaron durante la Colonia a reemplazar la mano de obra indígena por la de esclavos africanos. Desde entonces, la raza negra es mayoritaria en la región Pacífica.

Departamento del Chocó

Gran parte del territorio está constituida por una llanura que limita al oriente con la cordillera Occidental y al occidente con la serranía del Baudó, por la que corren el río Atrato, tributario

Bahía Tebada, en la costa Pacífica.

del mar Caribe y uno de los más caudalosos del mundo en relación con su longitud, y el San Juan, que lleva su caudal al Pacífico. En el valle del Atrato se encuentra el Tapón del Darién, una selva espesa, anegadiza y pantanosa; el valle del San Juan es una de las regiones más ricas del mundo en platino.

El departamento está integrado por 21 municipios, entre los que se destacan Quibdó, su capital, y sobre el litoral Pacífico, Bahía Solano en el golfo de Cupica, cuyo mayor atractivo es que tiene mar y selva. Cerca se encuentra la ensenada de Utría. Sobre el litoral Caribe se encuentran el municipio de Acandí, con sus playas de Capurganá y Zapzurro, en el golfo de Urabá, en límites con Panamá. Esta zona es gran productora de banano.

Sobre la margen oriental del río Atrato, en una amplia y hermosa planicie en la que imperan las altas temperaturas, el ambiente húmedo y la intensiva pluviosidad, se encuentra Quibdó, la capital departamental. San Francisco de Quibdó fue el nombre que recibió la villa establecida en 1690, luego del primer asentamiento que con el nombre de Citará fundaron los jesuitas Francisco de Orta y Pedro Cáceres en 1654. A principios del siglo XVIII, cuando ya se había consolidado una población apreciable, de indígenas y negros en su mayoría, Francisco Berro le dio fundación oficial con el nombre citado, que junto al del santo de Asís rememora el nombre del cacique indígena que gobernaba en esos parajes, y que ha sido, a la postre, el que ha prevalecido hasta nuestros días.

Una de las zonas más húmedas del planeta, con precipitaciones anuales superiores a los 10.000 mm, es la cuenca del río Atrato; en algunos lugares la selva virgen llega hasta el borde del mar. En la página anterior: Cabo Marzo.

La región del Pacífico es una de las de mayor biodiversidad del mundo y su riqueza natural se ha conservado gracias a lo inhóspito del medio. En esta página: babilla en las cercanías del río Baudó.

Un atractivo especial de la región es el Parque Nacional Natural Los Katíos, que comparte Chocó con Antioquia, con una extensión de 72.000 hectáreas. Este parque colinda con el Parque Nacional Darién, en territorio panameño, y su propósito es estudiar el impacto ecológico de la construcción de la Carretera Panamericana sobre las especies endémicas de la región. Sus características especiales lo hicieron acreedor al rango de Patrimonio Mundial, reconocimiento hecho por la UNESCO en 1994. La principal característica de esta reserva es la variedad de sus suelos, de planicies no inundables, zonas de pantanos y ciénagas, y colinas de mediana altura.

En jurisdicción de los municipios de Bahía Solano, Nuquí, Bojayá y Alto Baudó se extiende la ensenada de Utría, declarada Parque Nacional Natural en 1987. Abarca un área de 54.300 hectáreas de superficie marina y continental. Allí se encuentran cuatro de los ecosistemas más amenazados del mundo: manglares, estuarios, arrecifes coralinos y bosque tropical húmedo. El contraste entre el bosque tropical húmedo y las escarpadas montañas que cortan el mar, es uno de sus atributos paisajísticos más relevantes. La zona es importante también por la abundante vida marina que alberga; en ella se destaca la presencia temporal de ballenas.

Departamento del Valle del Cauca

El principal puerto colombiano sobre el Pacífico es Buenaventura, a tres horas de Cali por carretera, a través de la cordillera Occidental. Fundada en 1539 por el capitán Juan de Ladrilleros, el puerto pertenece hoy día al departamento del Valle del Cauca.

Buenaventura ha sufrido varios incendios y maremotos que han destruido sus más destacas construcciones. De ellas sólo subsiste el Hotel Estación, remembranza de los viejos balnearios europeos. La madera es el material predominante de la arquitectura de Buenaventura y las construcciones se levantan sobre palafitos que las defienden de las inundaciones periódicas.

El Parque Nacional Natural Farallones de Cali se encuentra localizado sobre el eje de la cordillera Occidental en el departamento del Valle, en jurisdicción de los municipios de Cali, Jamundí, Dagua y Buenaventura. Cubre una extensión de 150.000 hectáreas y comprende cuatro pisos térmicos, con temperaturas que varían entre los 25 °C en su parte más baja, hacia la costa (a unos 200 msnm), y 5 °C en las cimas, las más altas de las cuales sobrepasan los 4.000 metros. El nombre del parque viene de los filones de las montañas que sobresalen en el eje de la cordillera Occidental y que forman una cadena de alturas escarpadas. Tiene desde vegetación de selva húmeda hasta especies propias del páramo. Los Farallones de Cali son una de las reservas nacionales más ricas en avifauna, ya que cuentan con más de 600 especies de aves, entre ellas el águila solitaria, el barranquero y el vencejo cuelliblanco, y también mamíferos como la marimonda, el oso de anteojos y la ardilla.

Departamento del Cauca

Entre Buenaventura y Tumaco se extiende la costa caucana, que es uno de los territorios más deshabitados de Colombia. Guapi y Timbiquí, sobre los ríos de iguales nombres, son las poblaciones caucanas más destacadas. La primera se organizó como municipio en 1816 y es el asentamiento caucano más importante sobre el litoral Pacífico. La población es negra y basa su economía en la agricultura, la pesca, la cestería de fibras vegetales y la minería del oro.

Convertida en colonia penitenciaria durante muchos años, la isla Gorgona goza de la condición de Parque Nacional Natural desde 1985 por su enorme biodiversidad de fauna y flora, y por los arrecifes coralinos que hacen posible la visita anual de las ballenas jorobadas. La isla pertenece al departamento del Cauca y se localiza a 56 km de Guapi. Se encuentra equidistante de los dos principales puertos colombianos sobre el Pacífico, a 150 km de Buenaventura y de Tumaco. Cubre un área de cerca de 24 km^2, de los cuales la reserva tiene más de 49.000 hectáreas, incluida la isla de Gorgonilla.

Los vestigios arqueológicos encontrados en la isla indican una ocupación temprana de pobladores aborígenes. Fue descubierta por Diego de Almagro hacia 1525, pero fue Francisco Pizarro quien la bautizó Gorgona, inspirado en la medusa de la mitología griega, pues en el lugar abundan las serpientes venenosas. Durante el siglo XVII y a comienzos del XVIII fue frecuentada por corsarios y luego donada a un oficial alemán, cuya familia la vendió más tarde. En 1959 el Estado colombiano la destinó a ser colonia penitenciaria ultramarina, hasta 1982.

Después de hacer un recorrido de más de 4.000 kilómetros desde la Antártida, las ballenas jorobadas se concentran en grupos hasta de cien ejemplares en las aguas que rodean la isla Gorgona, hacia el mes de julio. Su comportamiento es impredecible, pero es posible verlas retozar y producir enormes olas con sus piruetas, haciendo alarde de su belleza. En épocas de apareamiento se pueden escuchar las hermosas y misteriosas melodías que emiten los machos. El sitio es frecuentado por el turismo ecológico, lo mismo que las vecinas islas de Gorgonilla y Malpelo.

Página anterior: **vista de la bahía de Buenaventura, principal puerto colombiano sobre el Pacífico.**

La Unidad de Conservación de Munchique está localizada sobre la vertiente oeste de la cordillera Occidental, en el departamento del Cauca, en jurisdicción del municipio de El Tambo. Cubre una extensión de 44.000 hectáreas en terrenos de relieve accidentado y fuertes pendientes, con alturas que oscilan entre los 500 y los 3.000 msnm, y temperaturas que varían entre los ocho y los 27 °C. El Parque Munchique posee gran variedad de especies arbóreas pertenecientes a bosques de los pisos térmicos cálido, templado y frío. Su riqueza faunística sobresale por la gran variedad de aves, con más de 420 especies registradas, muchas de las cuales son endémicas.

Departamento de Nariño

Entre las poblaciones que tiene el departamento de Nariño sobre el litoral Pacífico está Tumaco, importante puerto marítimo localizado a 300 km de Pasto, la capital departamental. El caserío inicial fue fundado hacia fines del siglo XVIII por indígenas Tumas. Hoy es el segundo puerto del Pacífico colombiano, con una población de más de 100.000 habitantes.

En esta zona del país se localiza el Parque Nacional Natural Sanquianga, que toma su denominación del río y la bahía del mismo nombre. El parque hace parte del área arqueológica de la cultura prehispánica Tumaco y tiene una extensión de 80.000 hectáreas; su principal característica es la importante área de manglares que posee, bosques adaptados a la salinidad que se desarrolla en la interfase tierra-mar y que se encuentran en grave peligro en el mundo entero, a pesar de ser el ecosistema más productivo que existe. En su mayoría, la zona está surcada por infinidad de esteros afectados considerablemente por las mareas.

La costa Pacífica colombiana tiene básicamente dos regiones bien diferenciadas; la del norte se caracteriza por la estrechez de su plataforma continental y la presencia de un litoral de acantilados rocosos; la del sur tiene una amplia plataforma continental y presenta los mayores y más extensos bosques de manglar del país. Abajo: mercado en Guapí, población costera cuyos habitantes, en su mayoría descendientes de esclavos africanos, se dedican a la explotación del oro, la madera y el plátano.

En la página anterior: litoral rocoso y acantilado en el golfo de Cupica. En esta página: En la parte norte del litoral Pacífico, cerca de la ensenada de Utría se pueden contemplar las ballenas jorobadas, que llegan cada año por el mes de septiembre; en las orillas de las ciénagas marginales al curso de los ríos, la vegetación es especialmente frondosa; diversos lugares de la costa están habitados por grupos indígenas, como los emberas, que aún conservan sus costumbres ancestrales; Puerto Mutis es un lugar desde el cual se puede sentir la humedad del ambiente.

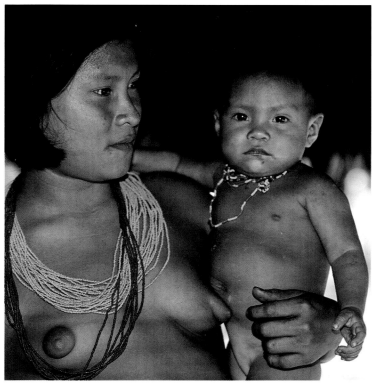

El Hotel Estación, en el puerto de Buenaventura, es una magnífica construcción de los años treinta que ha sido remodelada.

Actualmente es uno de los lugares más confortables y hermosos para el visitante. Desde sus corredores se aprecian

espectaculares atardeceres en la bahía y se siente la intensa actividad del puerto.

Como resultado del mestizaje racial y cultural, la costa Pacífica tiene ricas manifestaciones culturales, entre las cuales se destacan los variados ritmos de origen indígena, africano y europeo; sobresalen la contradanza, la jota y especialmente el currulao y el mapalé.

Los lugareños se reúnen a la puesta del sol a interpretar sones cadenciosos, en los que predominan los instrumentos de percusión.

El sur de la costa Pacífica corresponde a los departamentos de Cauca y Nariño; es una región selvática donde abunda el bosque de 'manglar; habitan allí algunas tribus indígenas que conservan sus tradiciones, aunque predomina la población de raza negra.

En está página: collar de los indígenas emberas; mercado en el puerto de Guapi; dos aspectos de Bocagrande, el principal balneario de Nariño, muy cercano a Tumaco, el segundo puerto sobre el Pacífico.

Sur Andino

Al suroccidente de la región andina se localizan los departamentos del Valle del Cauca, Cauca y Nariño, este último sobre la frontera con Ecuador. Por su variada topografía es posible encontrar en ella todos los pisos térmicos, desde las altas cumbres de volcanes y nevados, hasta las zonas tropicales de la costa del Pacífico.

Durante la época colonial, la provincia del Cauca fue una de las más prósperas e influyentes de la Nueva Granada, paso obligado entre la presidencia de Quito y las provincias centrales. Su territorio incluía los actuales departamentos del Valle, Cauca, Nariño, parte del viejo Caldas y Caquetá. Su capital era la ciudad de Popayán, donde residía la más fuerte aristocracia de terratenientes, mineros y comerciantes que tuvo el Nuevo Reino. Popayán llegaría a ser lo que el historiador José Luis Romero denomina una "sociedad patricia". Dada la magnitud de las empresas agrícolas y mineras allí emprendidas, se hizo necesaria la importación de mano de obra esclava, lo que introdujo fuertes elementos de sociedad esclavista en su organización política.

El mosaico cultural de la región sur andina es de los más ricos de Colombia. En ella se dio la resistencia palenquera del río Palo y el crecimiento de pueblos libres "cimarrones" como Puerto Tejada. La región ha sido escenario de históricas luchas, como la de los paeces por la tierra, bajo la dirección de Quintín Lame, o la campesina, comandada por Cenecio Mina. El cinturón del litoral Pacífico está habitado mayoritariamente por afrocolombianos; la región de la serranía y del valle del río Cauca es una zona triétnica, y el territorio que se extiende por las cordilleras Occidental y Central hasta el departamento del Tolima es una zona indio-mestiza.

Históricamente, caucanos y vallunos tienen más afinidad que la que existe entre éstos y sus vecinos nariñenses que, a su vez, tienen muchos aspectos comunes con los ecuatorianos.

Sin embargo, mientras que la sociedad caucana, y sobre todo payanesa, se conserva fuertemente anclada en viejas tradicio-

Plantación de sorgo en el Valle del Cauca.

En esta página: **la llama, animal que tuvo gran importancia en el mundo incaico.** Página 257: **zona de minifundios en el departamento de Nariño, en la cual predomina el cultivo de fique; con él se elaboran objetos de uso diario como costales, sombreros, esteras, alpargatas y bellas artesanías que se distribuyen en todo el país.**

nes que se expresan en la estructura de la ciudad, en la arquitectura, en sus formas de vida e incluso en festividades como la Semana Santa, una de las más solemnes y reconocidas en el ámbito hispano, y el Festival de Música Sacra que por esos mismos días se celebra en Popayán, en el Valle del Cauca y sobre todo en Cali se dan formas de ser y relaciones más abiertas, que también se expresan en sus festividades, siendo la más importante la Feria de Cali, que congrega orquestas de música popular y, para las corridas que se celebran por aquellos días, a los grandes toreros del momento.

El departamento es básicamente productor de caña dulce y en él se encuentran inmensas plantaciones e ingenios azucareros donde se elabora la mayor parte del azúcar que se consume en el país.

Nariño es el departamento que posee un más alto número de minifundios en el país; allí se producen papa, fique, cereales y hortalizas. En la capital y en otras poblaciones hay gran producción artesanal; la más tradicional y representativa es el barniz de Pasto, técnica muy antigua que se utiliza en el recubrimiento de objetos de madera, tanto de uso práctico como ornamental.

Valle del Cauca

El departamento del Valle del Cauca es en la actualidad una de las zonas más prósperas y dinámicas de Colombia. Dentro de su jurisdicción se distinguen cuatro regiones con características diferentes: 1. La llanura del Pacífico, donde se emplazan dos grandes bahías en territorio de manglares: la de Málaga y la de Buenaventura. 2. La zona que comprende la cordillera Occidental, con alturas tan destacadas como Los Farallones de Cali. 3. La región del valle de río Cauca, al centro, considerada la principal del territorio departamental y de la que toma su nombre, es una de las más fértiles tierras del país. Se encuentra densamente poblada y el desarrollo de la industria agropecuaria y del sector agroindustrial, donde la principal actividad gira en torno de la caña de azúcar, es notable. 4. La última zona está constituida por la vertiente occidental de la cordillera Central, que integra la gran región natural del Quindío y que tiene en la industria cafetera su principal renglón económico.

Antes de la presencia española en América, estas tierras estaban habitadas por numerosas tribus indígenas, entre las cuales cabe mencionar a los noamanes, incuandés, catíos y chocóes en la región del Pacífico, y los quinchías, jamundíes, calotos, lilíes y quimbayas en la zona interandina.

En tiempos coloniales el territorio perteneció a las gobernación y a la provincia de Quito y Popayán. Después de la Independencia, en 1821, pasó a integrar el departamento del Cauca, hasta 1910, cuando se creó el departamento del Valle del Cauca, con capital en Cali.

La economía del departamento es una de las más sólidas del país y se mueve en torno a la industria, el comercio, los servicios, la agricultura y la ganadería, complementadas con la pesca, la minería y la explotación de los recursos forestales.

Su hermoso paisaje, la riqueza de aguas y el contraste de climas y topografías, hacen del turismo otra de las fuentes de recursos

En la página anterior: **río Cauca y plantación de caña de azúcar.**

En esta página: **Ferrocarril del Pacífico y la flora, presente en todo el territorio nacional.**

del departamento. El dicho:"Valle es Valle y lo demás es loma", habla con creces de la alta estima en que sus moradores tienen a esta región privilegiada por la naturaleza.

Cali

Santiago de Cali, la capital del Valle del Cauca, fue fundada por Sebastián de Belalcázar en 1536 en territorio de los indios Calimas. Su importancia regional es relativamente reciente, pues hasta comienzos del presente siglo Popayán detentaba la hegemonía sobre el suroccidente del país. Localizada sobre el rico valle del río Cauca, en las estribaciones de la cordillera Occidental, la importancia de Cali radica en una situación estratégica como punto de acceso al océano Pacífico. Desde los tiempos en que comenzaron los trabajos de construcción de la vía al mar, la importancia de Cali no ha dejado de crecer.

En 1860, Cali era ya el centro del artesanado fabril de la región caucana y comenzaba a conformarse en torno suyo la nueva economía agrícola. Las familias ya no habitaban en las haciendas, sino que se establecían en la ciudad con su servidumbre, que incluía a los esclavos encargados de los oficios domésticos. También acudían negociantes de otras regiones y representaciones comerciales de distintos países. Tal vez el más famoso de estos negociantes fue el ciudadano ruso-norteamericano James Eder, "don Santiago", pionero de la industria azucarera vallecaucana.

También se destaca su actividad cultural, con instituciones tan dinámicas como el Museo de Arte Moderno La Tertulia y los teatros Los Cristales, Municipal y Experimental de Cali, TEC. Así mismo, la producción audiovisual al lado de la legendaria tradición del Cine-club de Cali, y la revista *Ojo al Cine* que dirigía el escritor Andrés Caicedo, quien construyó su obra narrativa como un homenaje a su ciudad natal: Cali, cálido calidoscopio.

Alrededores

Durante la historia del Valle, otras tres ciudades han sido los eslabones de la cadena del desarrollo de la región: Palmira, Buga y Cartago. Palmira compitió con Cali en el liderazgo agrícola; Buga ha representado la tradición de las grandes haciendas, y Cartago es una puerta hacia las regiones del noroccidente.

A 36 kilómetros del norte de Cali, en la vía hacia El Cerrito, se encuentra la hacienda El Paraíso, lugar donde se desarrolla la acción de la novela *María*, de Jorge Isaacs, varias veces llevada al cine. Hacia el sur de la ciudad, a cinco kilómetros por la vía a Jamundí, está la hacienda Cañasgordas, escenario de otra novela colombiana, *El alférez real*, de Eustaquio Palacios. Y a 42 kilómetros de Cali, la hacienda Piedechinche, sede del Museo de la Caña. Allí, rodeado de hermosos parajes, el visitante se puede enterar de todo lo concerniente al cultivo y procesamiento de la caña de azúcar, el principal producto de la región.

El influjo de la región caleña abarca un territorio muy amplio que cobija los departamentos del Valle del Cauca, Cauca, Nariño y, a través suyo, Putumayo y una amplia zona del Chocó. La influencia cultural y económica que conforma la región está íntimamente ligada con los aspectos geográficos y con la red de comunicaciones que la mantiene en permanente contacto. Actualmente posee los más importantes ingenios azucareros y una de las zonas industriales más grandes, lo que la convierte en la tercera ciudad colombiana en importancia industrial y comercial.

Página siguiente, arriba: **patio central de la hacienda El Paraíso, una de las grandes haciendas cercanas a Cali, donde comenzó a forjarse el desarrollo del departamento, alrededor del cultivo de la caña de azúcar.**

Abajo: **Santiago de Cali, la tercera ciudad del país, conjuga en su estructura urbanística y en su arquitectura elementos de diversas épocas, que dan testimonio de su pasado y de la pujanza de su desarrollo industrial y comercial. Es una metrópoli que existe con el beneplácito del clima tropical, circunstancia que ha formado el espíritu cordial de sus habitantes.**

Página anterior: en el centro de Cali se encuentra la Plaza de Caicedo, lugar donde las edificaciones de diversas épocas enmarcan un espacio sombreado por palmeras; en uno de los costados se levanta la Catedral Metropolitana de San Pedro.

En esta página, arriba: La Ermita es uno de los símbolos que identifican a Cali; debido al desarrollo de la arquitectura de la ciudad, contrasta con su fachada de estilo gótico. Abajo: el magnífico complejo de San Francisco, construcción del siglo XVIII, cuya torre del más puro estilo mudéjar recuerda la arquitectura del período de ocupación de los árabes en España.

Con una capacidad para 1.200 personas, el Teatro Municipal de Cali es el escenario más importante para apreciar las múltiples

presentaciones musicales, teatrales y de danza de artistas nacionales y extranjeras. Su estilo clásico criollo lo ha convertido en una

de las estructuras arquitectónicas más sugestivas de la ciudad desde 1927, fecha de su fundación.

La iglesia y el claustro de La Merced, construidos en el siglo XVIII, están situados en el centro histórico de la ciudad; en su interior funciona el Museo Arqueológico y de Arte Colonial. Abajo: el Museo de Arte Moderno La Tertulia, situado en la avenida Colombia, es uno de los centros culturales más importantes de la ciudad; cuenta con una colección permanente de pintura y escultura de renombrados artistas nacionales e internacionales.

Al norte de Cali se encuentra la hacienda El Paraíso, escenario de *María,* la novela de Jorge Isaacs, la más lograda expresión el romanticismo latinoamericano. Allí funciona un museo donde se conservan objetos que pertenecieron al escritor; a través de ellos se pueden conocer las costumbres de la vida rural del Valle del Cauca en el siglo XIX.

En el Valle del Cauca hay ciudades cuyo gran desarrollo, durante el período colonial, quecó plasmado en sus construcciones y en las formas de vida que aún conservan sus habitantes. En está página: la Catedral del Señor de los Milagros, en Buga; su imagen del Cristo Milagroso es venerada por todo el pueblo latinoamericano. Derecha: Cartago es una ciudad que conserva joyas arquitectónicas de los siglos coloniales y del período republicano.

En esta página: **en medio de la cordillera Occidental y en las cercanías del municipio de Darién, se encuentra el embalse Calima, cuyo nombre proviene de la cultura que ocupaba este territorio antes de la llegada de los españoles.**

Abajo: **cultivo de girasoles en las cercanías del municipio de Vijes.** En la página siguiente: **el valle del río Cauca, uno de los más fértiles de Colombia, donde se cultiva gran variedad de plantas alimentarias y de árboles frutales, es además el mayor productor de caña de azúcar del país.**

Cauca

La provincia del Cauca fue una de las regiones más importantes del país durante la Colonia por su proximidad a Quito y a Lima y por el acceso al océano Pacífico, una región rica en recursos agrícolas y mineros y abundante en mano de obra indígena. Los territorios departamentales son muy variados, porque además de estar atravesados por las cordilleras Occidental y Central, en su jurisdicción se encuentra una parte del Macizo Colombiano. Como consecuencia de su conformación topográfica, el departamento del Cauca posee todos los pisos térmicos, desde los cálidos al nivel del mar, hasta las nieves perpetuas en el nevado del Huila, la máxima altura de la cordillera Central, en límites con los departamentos de Huila y Tolima

Gran cantidad de ríos, quebradas y corrientes menores cruzan el departamento del Cauca en todas las direcciones. Se destacan los ríos Cajibío, Caquetá, Cauca, Guapí, Patía, Timba y Timbiquí, que le confieren a la zona la propiedad de ser una estrella fluvial. El río Cauca, que le da su nombre al departamento, desciende desde el cerro del Cubilete, a 3.280 metros de altura, hasta unos mil metros sobre el nivel del mar, en donde forma un valle de 15 a 20 kilómetros de ancho por unos 250 kilómetros de largo, en medio de las cordilleras Central y Occidental: el valle geográfico del Cauca, en tierras de los departamentos del Valle y Cauca.

Página anterior: **panorámica de Popayán.**

En esta página: **las termales de San Juan, en el Parque Nacional Natural Puracé,**

constituyen una de las más hermosas manifestaciones de la intensa

actividad volcánica de la serranía de los Coconucos.

En tiempos prehispánicos, el territorio caucano estaba habitado por miembros de las tribus indígenas jamundíes, pances, calotos, paeces, pijaos, patías y guanacas.

Las principales actividades económicas del Cauca están representadas en la minería, la agricultura, la ganadería y la explotación forestal. En el primer renglón se destacan la explotación de minas de oro, plata, cal, azufre, caolín, carbón, platino, cobre, mármol, yeso, cuarzo y otros minerales. En agricultura sobresalen las producciones de maíz, caña de azúcar, plátano, trigo, café, arroz, cacao, fríjol, tabaco, anís y papa. La ganadería básicamente abastece de carne y leche a la población local.

Popayán

Popayán, la capital departamental, fue fundada por Sebastián de Belalcázar, luego de una cruenta campaña de exterminio contra los indios pubenzas, pueblo agricultor y tejedor que no se doblegó ante los conquistadores. Por haber alcanzado un alto grado de desarrollo, Popayán fue elevada a la categoría de municipio con el nombre de Asunción de Popayán. El 26 de junio de 1538, los reyes de España le otorgaron a la Villa de Popayán su escudo de armas y el título de "Ciudad muy Noble y muy Leal", por considerarla la población más importante de toda la provincia de Quito.

Su situación geográfica privilegiada, en la ruta entre Cartagena, al norte y Quito y Lima, al sur, le permitió desempeñar un papel preponderante durante la Colonia. Actualmente, es una de las ciudades más tradicionales y aristocráticas de Colombia y una de sus principales joyas arquitectónicas. Después del terremoto de 1983, que destruyó o averió buena parte de las construcciones, éstas fueron restauradas cuidadosamente.

Popayán, la capital caucana, es famosa por la celebración de la Semana Santa, durante la cual tiene lugar el Festival de Música Religiosa, certamen internacional de gran tradición y calidad.

Alrededores

A 55 kilómetros de Popayán, en una zona montañosa de hermosos paisajes, se encuentra Silvia, una población típica de casas de tapia pisada y plaza de mercado tradicional, conocida por su producción artesanal. En sus alrededores habita la comunidad indígena guambiana, grupo étnico que conserva sus usos y costumbres tradicionales. Otro de los atractivos de la región es el Parque Nacional Natural de Puracé, que ocupa una superficie de 83.000 hectáreas, en donde se encuentra la Sierra Volcánica de los Coconucos; allí abundan lagunas, cascadas, volcanes, nevados y fuentes termales.

Mención especial merece la región arqueológica de Tierradentro, localizada al norte de Popayán, a dos kilómetros de San Andrés de Pisimbalá; Tierradentro es una extensa zona arqueológica quebrada, actualmente habitada en gran parte por indígenas Paeces. En medio de parajes de gran belleza, los filos y laderas de las montañas albergan construcciones funerarias prehispánicas. Las tumbas o hipogeos funerarios de Tierradentro, que se encuentran en sitios como la Loma de Segovia, el Alto del Duende, El Tablón, el Alto de San Andrés y la Loma de Aguacate, son muy variados, pues los hay desde aquellos de poca profundidad hasta los más amplios, excavados en roca volcánica a más de siete metros bajo tierra, con una escalera de acceso en forma de caracol y una decoración interior a base de motivos geométricos en rojo y negro sobre blanco, y de relieves de figuras antropomorfas.

En esta zona también se han hallado numerosas estatuas de piedra de características similares a las de San Agustín, aunque no se ha establecido con precisión su vínculo. Tampoco se sabe, a ciencia cierta, si las esculturas pertenecen al mismo grupo cultural de quienes excavaron las tumbas, aunque existe la opinión de que probablemente se trata de culturas distintas. Tierradentro fue declarado por la UNESCO Patrimonio de la Humanidad en diciembre de 1995.

Página siguiente: **la capilla de La Ermita es una hermosa construcción colonial que fue restaurada después del terremoto de 1983 y uno de los lugares donde los habitantes de Popayán expresan su fervor religioso.**

La Torre del Reloj (en la página anterior), y el Puente del Humilladero (en esta página), se han convertido en los símbolos de Popayán, que ha conservado no sólo el trazado de las calles y la arquitectura colonial, sino sus tradiciones y el abolengo y señorío de familias que hacen de ella una de las ciudades más aristocráticas del país.

El Museo Casa Valencia, donde vivió el célebre poeta y político Guillermo Valencia, conserva los objetos que pertenecieron al maestro, y según la leyenda por sus viejos corredores aún se pasea en las noches de luna la sombra pensativa del poeta.

En la página siguiente: la iglesia de San Francisco, con su hermosa fachada de piedra, construida en 1775, es una de las joyas arquitectónicas de la ciudad. Fue cuidadosamente restaurada después de quedar destruida por el terremoto de 1983.

El departamento del Cauca es una de las regiones de Colombia donde aún subsisten los herederos de las culturas indígenas que habitaron el Macizo Colombiano, y los descendientes de los grandes encomenderos y hacendados españoles.

En esta página: interior de un hipogeo en Tierradentro; indígenas Guambianos en Silvia; torres de la iglesia de San Juan; capilla doctrinera en San Andrés de Pisimbalá. En la página siguiente: la cascada El Bedón, en el Parque Nacional Natural Puracé, es una de las maravillas naturales del departamento del Cauca.

Página 280: **Santuario de Nuestra Señora de las Lajas.**

En esta página: **paisaje característico de la comarca nariñense, donde la actividad volcánica ha generado suelos muy ricos que son aprovechados en los minifundios para el cultivo intensivo de algunos productos como papa, fique y hortalizas.**

Nariño

S ituado en el extremo suroccidental del territorio colombiano, el departamento de Nariño se encuentra en límites con Ecuador, nación con la que mantiene estrechos vínculos económicos y culturales.

Dentro de la jurisdicción departamental de Nariño se distinguen tres zonas perfectamente definidas: al occidente, la llanura del Pacífico, plana, de altas precipitaciones de agua y clima cálido y húmedo. Al centro, está la zona Andina, compuesta por las cordilleras de los Andes, que al entrar en Colombia forma el Nudo de los Pastos, del que se desprenden dos grandes ramales que se dirigen hacia el norte, separados por los ríos Guáitara y Patía: el ramal izquierdo es la cordillera Occidental que tiene, dentro del departamento de Nariño, algunos volcanes como los de Chiles, Cumbal y Azufral; en tanto que el ramal derecho, también conocido como cordillera Centro-Oriental, contiene fértiles mesetas altas donde se encuentran asentadas las ciudades de Ipiales y Túquerres, y algunos pintorescos valles como el de Atriz, donde se levanta San Juan de Pasto, la capital departamental. La tercera zona, la región de la vertiente oriental Amazónica, presenta abruptos terrenos poco aprovechables, cubiertos en su mayoría de selvas húmedas y lluviosas; al occidente de esta zona se encuentra la laguna de La Cocha, la segunda en importancia del país.

Nariño tiene cerca de 20 volcanes en su territorio, algunos en actividad, que han causado grandes catástrofes en el pasado, pero que también han provisto sus tierras de una feracidad admirable.

En tiempos prehispánicos el territorio nariñense estaba ocupado por numerosos grupos indígenas, como los pastos y quillacingas en el altiplano, los sibundoyes en el valle del Guamués, los tabiles en el cañón del Patía, y los iscuandés, telembíes y tumas en las llanuras del Pacífico. Gran parte de estos territorios conformaron la zona norte del imperio incaico;

prueba de ello son los vestigios culturales encontrados y los diferentes dialectos de origen quechua que hablaban algunas de estas comunidades.

El primer conquistador español en recorrer estos parajes fue Pascual de Andagoya, en 1522, con cuya formación Francisco Pizarro organizó la expedición que tuvo como resultado la conquista del Perú.

Pasto

Se levanta al pie del volcán Galeras a 2.527 msnm; su temperatura promedio es de 14 °C. El ascenso al volcán es relativamente fácil y su atractivo se debe a que se encuentra en actividad y a veces proyecta enormes columnas de humo. La región adyacente a Pasto es básicamente agrícola; predomina el minifundio, que le confiere al paisaje un contraste singular y hermoso por las diversas tonalidades de color de los cultivos. Sus gentes gozan de un aprecio particular por su reconocida amabilidad y cortesía.

Por la época de la Conquista española, estas tierras estaban habitadas por los indios hutanllatas o quillacingas. Luego de su doble fundación en 1537 y 1539, la ciudad fue trasladada a su actual ubicación por Pedro de Puelles, quien la bautizó con el nombre de San Juan de Pasto. Durante sus primeros años de vida, la villa de Pasto creció en número de vecinos, porque a ella acudían conquistadores de regiones como Quito, Cali y Popayán. En 1559 la Corona española le confirió el título de ciudad, con todas las prerrogativas que le eran afines.

El municipio de Pasto depende económicamente en su casco urbano del sector de los servicios, el comercio, el procesamiento de alimentos y bebidas, y la artesanía, afamada por sus trabajos en la talla de maderas, barnices característicos, muebles de mimbre, sombreros, cerámica y tejidos.

Entre los sitios de interés que Pasto ofrece a los visitantes se cuentan: la iglesia de San Juan Bautista, reconstruida en 1669 luego de un terremoto; en ella se destaca el púlpito de San Juan, verdadera joya colonial de estilo mudéjar; la iglesia de Cristo Rey, famosa por sus vitrales; la Catedral; el Museo Tamaningo, cuyas muestras tradicionales de la región, como el afamado barniz de Pasto, tornería y costura, son presentadas en talleres donde los artesanos trabajan a la vista del público; el Museo Alonso Zambrano, con joyas precolombinas e imaginería religiosa; el Museo Juan Lorenzo Lucero, dedicado a la historia de Pasto y el Museo Mary Díaz, que exhibe antigüedades y muestras de historia natural.

Pasto celebra su tradicional Carnaval de Negros y Blancos entre el 4 y el 6 de enero, con desfiles de carrozas y enmascarados por las calles de la ciudad. También realiza una Feria de Exposición Artesanal y las Fiestas de la Virgen de las Mercedes.

Ipiales

El municipio de Ipiales, el segundo en población del departamento de Nariño, es la ciudad colombiana más próxima a la frontera con Ecuador. En las afueras de la localidad se erige el Santuario de Nuestra Señora de Las Lajas, espectacular edificación de arquitectura republicana, construida a comienzos del siglo sobre el cañón del río Guáitara, que alberga la imagen de la venerada Virgen de las Lajas, visitada anualmente por miles de turistas y devotos.

En la frontera con Ecuador se encuentra el Puente Internacional de Rumichaca, construcción levantada sobre el río Carchi, que demarca el límite entre los dos países. Entre Ipiales, localizado a 3 kilómetros de este sitio y Tulcán, la población ecuatoriana más cercana al puente (5 kilómetros), existe un amplio comercio y una cultura afín.

Página siguiente: especies faunísticas en el maravilloso ambiente nariñense donde en ciertas épocas del año se acentúa la policromía de sus albas y puestas de sol, lo que motiva a sus habitantes a presenciarlas apasionadamente.

Panorámica de la ciudad de San Juan de Pasto, capital del departamento de Nariño; al fondo, el volcán Galeras, uno de los más activos del país. Con el fin de estudiar y monitorear su actividad y elaborar mapas de amenazas, fue declarado por la Asociación Internacional de Vulcanología y Química del Interior de la Tierra, uno de los volcanes de la pasada década.

En Pasto y sus alrededores se encuentran hermosos lugares que invitan al recogimiento. Arriba: pasaje del Corazón de Jesús y al fondo el parque de Nariño; capilla doctrinera de Tescual, una de las 21 poblaciones indígenas que rodean la ciudad. Abajo: portada y cúpula de la iglesia de San Juan Bautista, edificación colonial construida en 1539, destruida por un terremoto y reconstruida en 1669.

Todos los años se lleva a cabo en Pasto el Carnaval de Blancos y Negros, una de las fiestas más tradicionales y originales del país. Se inicia el 4 de enero con la llegada de la "Familia Castañeda"; el 5, todos los habitantes de la ciudad se pintan de negro, y el 6 se blanquean con harina y talco. Por las calles desfilan comparsas, gigantes y cabezudos que satirizan todo aquello que durante el año fue objeto de crítica.

El lago Guamuez, más conocido como laguna de La Cocha, está rodeado de fallas tectónicas. Está localizado a 30 minutos de Pasto, a 2.800 msnm, y en sus alrededores hay magníficos hoteles y restaurantes. En el centro de la laguna, una de las más grandes del país, se encuentra La Corona, isla que por su riqueza natural fue declarada Santuario de Fauna y Flora.

El departamento de Nariño ha conservado en una forma muy pura sus tradiciones tanto indígenas como españolas. Al recorrer estas comarcas se encuentran lugares y gentes cuyas formas de vida sorprenden por su sencillez y autenticidad. Arriba: plaza de El Tambo; campesina con su mula cargada de fique. Abajo: detalle de la vegetación del páramo; embarcadero en el lago Guamuez.

En la página siguiente: una muestra de la más genuina artesanía del barniz de Pasto, técnica muy antigua que se utiliza para decorar muebles y objetos elaborados en madera.

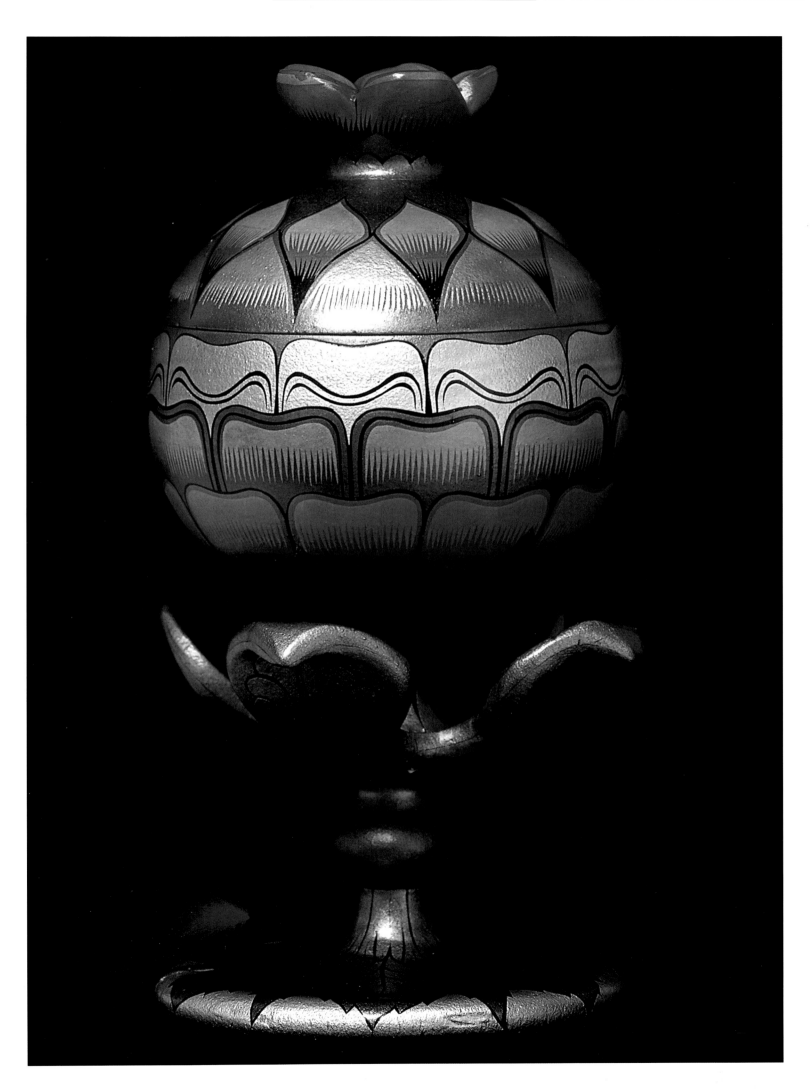

Alto Magdalena

L a región del Alto Magdalena, ocalizada en las estribaciones de las cordilleras Central y Oriental, en territorio de los departamentos del Huila y Tolima, se extiende hacia el valle que forma el río Magdalena en su ruta al mar. Sobre la cordillera Central, se encuentran imponentes nevados y volcanes y los fértiles valles donde se ubica la mayor parte de la población que habita esta región. Al sur del departamento del Huila se encuentra el Parque Arqueológico de San Agustín, que alberga una estatuaria de las más imponentes de Suramérica y los embalses de Prado y Betania. Las ciudades de Ibagué y Neiva, capitales de Tolima y Huila, respectivamente, conforman con otras ciudades cercanas importantes redes económicas y culturales para el país. Hasta comienzos de este siglo, estos departamentos fueron una unidad político-administrativa conocida como el Tolima Grande.

La población que habita esta región, de or gen hispano-caribe, como la de Santander, se distingue del mestizo hispano-chibcha, según el sociólogo Luis López de Mesa, en que posee "una estatura más aventajada y una fisonomía aguileña, con ojos redondos y nariz que curva en gesto altivo, franca y combativa". Esta mezcla racial de hispano y de guerrero caribe: tamas, paeces, andaquíes y otras comunidades emparentadas con éstas, como los pijaos, hondas, poincos y pantágoras, explica en parte el temperamento particular de este grupo étnico, patriarcal, hospitalario, honesto y sencillo.

El pueblo del antiguo Tolima Grande es un celoso guardián de su música tradicional y ha dado al país figuras tan eminentes como Diego Fallón, músico, matemático y poeta; Manuel Murillo Toro, político emprendedor y visionario; Raúl Mahecha, importante figura del sindicalismo de los años veinte en Colombia; José Eustasio Rivera, poeta y autor de *La vo-*

Valle del río Magdalena.

rágine, que denunció la injusticia en la Amazonía y cantó las riquezas del trópico. En la literatura contemporánea, Álvaro Mutis ha recreado en su obra la naturaleza agreste del Coello tolimense, escenario de muchas de las andanzas de su personaje, Macqroll el Gaviero.

Departamento del Huila

Está localizado al suroccidente de país, en un territorio que posee todos los pisos térmicos: desde los cálidos en las proximidades del río Magdalena, hasta los páramos y nieves perpetuas en las cimas cordilleranas. En su topografía se destacan seis zonas naturales diferentes: el valle central, bajo y cálido, casi completamente plano y bañado por el río Magdalena; el Macizo Colombiano, donde se origina la cordillera Oriental y en cuyas cumbres están los nacimientos de los grandes ríos colombianos: el Caquetá, el Patía, el Putumayo, el Cauca y el Magdalena; el valle del río Suaza, de gran fertilidad, enmarcado por la cordillera Oriental y la serranía de La Ceja; la zona que comprende la vertiente oriental de la cordillera Central, donde se encuentra el nevado del Huila, con más de 5.750 msnm.; la zona del Sumapaz, montañosa, situada en el extremo norte del departamento, en límites con Cundinamarca; y la zona de la vertiente occidental de la cordillera Oriental, que se encuentra poco explotada.

Tribus de origen caribe como los paeces, pijaos y yalcones ocupaban el territorio huilense cuando llegaron los españoles, a los que se enfrentaron violentamente. Con anterioridad a estos grupos, la región fue asiento de la cultura de San Agustín, una de las más avanzadas del territorio de la actual Colombia.

Cuenta con 37 municipios, cuyas actividades económicas giran en torno de los servicios de banca, transporte, turismo y los públicos prestados por el Estado; entre las labores agropecuarias están la producción de café, arroz, yuca, sorgo y caña panelera; en la industria se destacan las empresas procesadoras de bebidas y alimentos y la elaboración de artesanías; en la minería descuellan la explotación petrolera y de gas natural y de minerales como carbón, oro, plomo, plata, cobre y azufre.

El Huila cuenta con importantes sitios turísticos como el Parque Arqueológico de San Agustín, los Parques Nacionales Naturales Cueva de los Guácharos, Los Picachos, Nevado del Huila, Puracé y Sumapaz; numerosas cavernas naturales; espectaculares y hermosos saltos de agua y paisajes tanto de montaña como de llanura que brindan un especial interés para el visitante y que hacen del turismo otro renglón importante de la economía huilense.

Neiva

La ciudad está asentada en un territorio situado a 442 msnm y la temperatura media es de 26 °C. La jurisdicción municipal de Neiva está comprendida entre los filos de la cordillera Oriental y las cimas de la cordillera Central, amplia faja de terreno que se encuentra dividida por el río Magdalena. Lo accidentado de la topografía le confiere al Huila la disponibilidad de todos los pisos térmicos.

Gonzalo Jiménez de Quesada bautizó la zona del desierto de La Tatacoa como "el Valle de las Tristezas", debido a su clima, el aspecto árido y erosionado y a las penalidades que experimentó allí. En 1539, Juan de Cabrera, comisionado por Belálcazar para fundar una población en estos terrenos, estableció un poblado que llamó Villa de la Limpia Concepción del Valle de Neiva, pero cuando el pueblo se estaba consolidando, los indios del resguardo de Otás lo destruyeron. Luego de otros intentos de fundación, en 1612 Diego de Ospina y Medinilla fundó nuevamente la ciudad en el sitio que ocupa en la actualidad.

En Neiva se celebra la Fiesta y Reinado Nacional del Bambuco, entre el 24 de junio y el 3 de julio, con comparsas que desfilan por la ciudad, para celebrar las fiestas de San Pedro y San Pablo.

Izquierda: Neiva, la capital del departamento del Huila, es uno de los dos polos comerciales del Alto Magdalena. En uno de los costados del parque Santander se encuentra el Templo Colonial, construcción del siglo XVII que conserva la techumbre de madera rolliza, muros de tapia pisada y pisos de ladrillo cocido. Derecha: en el departamento del Huila, que formó parte del Tolima Grande, se celebran fiestas tradicionales en las que al ritmo del Sanjuanero las parejas ejecutan con gran destreza los pasos de esta danza que se remonta a la época colonial.

San Agustín

Varias de las culturas aborígenes que tuvieron asiento en el actual territorio colombiano desaparecieron antes de la llegada de los españoles y dejaron huellas enigmáticas de su existencia, como la cultura que se desarrolló en la región de San Agustín, enclavada en las vertientes del Macizo Colombiano, zona volcánica donde nace el río Magdalena. Entre los siglos ı a.C. y x d.C. floreció está compleja sociedad agrícola de grandes escultores líticos, talladores, alfareros y constructores de montículos y templetes funerarios. Los diversos sitios arqueológicos se encuentran dispersos en un área de 500 km^2 entre los municipios de San Agustín y San José de Isnos, en medio de un paraje de colinas y profundos cañones. La mayor concentración de estatuaria se encuentra en el Parque Arqueológico de San Agustín, donde se aprecian monumentales tallas de piedra de diferentes estilos y tamaños, entre las que se encuentran la célebre Fuente de Lavapatas, sitio ceremonial de notable diseño y manejo del agua. Otros sitios de concentración estatuaria son el Alto de los Ídolos, el Bosque de las Estatuas, El Tablón, el Alto de la Pelota, el Alto de la Chaquira y el Alto de las Piedras, entre otros.

El poblado de San Agustín, emplazado a 1.695 msnm, fue fundado en 1790 por Lucas de Herazo y Mendigaña, luego de que varias veces fuera destruido por los combativos indios andaquíes. En 1826 fue erigido en municipio. Sus territorios, aunque en su mayoría montañosos, también cuentan con extensas zonas planas o ligeramente onduladas, principalmente en las orillas de los ríos que lo cruzan. Tiene una temperatura promedio de 19 °C.

San Agustín constituyó el centro de varias de las culturas más importantes de América, cuyos orígenes no están del todo esclarecidos. Lo cierto es que, al llegar los españoles, esta región estaba habitada por los indios andaquíes, que nada tenían que ver con la cultura que elaboró los monolitos. Reconocida internacionalmente su importancia histórica y cultural, los distintos escenarios de San Agustín fueron declarados Parque Arqueológico y Patrimonio de la Humanidad por la UNESCO en 1985.

Detalle de Piedrapintada, una enorme roca grabada con petroglifos, en Aipe, al norte del departamento.

Al sur del departamento del Huila se encuentran los vestigios de la cultura de San Agustín, una de las más avanzadas en el trabajo de la piedra volcánica. Arriba: cara triangular en la Mesita B del Parque Arqueológico. Abajo, izquierda: detalle de uno de los monolitos del Parque Arqueológico de San Agustín, al sur del departamento. Abajo, derecha: en La Chamba se ha elaborado, con las mismas técnicas heredadas de los indígenas, una cerámica muy fina en colores rojo y negro, que le ha dado renombre a la región.

Departamento del Tolima

En el departamento del Tolima se pueden distinguir tres regiones topográficamente distintas: la primera comprende la región montañosa formada por la cordillera Central, cuyas cumbres le sirven de límite natural por el occidente, donde se encuentran las mayores alturas como las de los nevados del Huila, Tolima, Quindío, Santa Isabel y Ruiz; la segunda, conformada por los valles de los ríos Magdalena y Saldaña, es la zona más densamente poblada y desarrollada del departamento, de terrenos planos o ligeramente ondulados, y presenta hacia el occidente algunas terrazas y planos inclinados, en uno de los cuales se encuentra la ciudad de Ibagué, la capital; en esta región de fértiles tierras se han realizado grandes proyectos de irrigación que han hecho posible incorporar nuevas tierras a la economía tolimense; la tercera, al suroriente, está conformada por la vertiente occidental de la cordillera Oriental, que presenta en buena parte tierras escarpadas y erosionadas.

Desde las cumbres de las dos cordilleras descienden numerosos ríos: Ambeima, Cocora, Azufrado, Combeima, Cunday, Gualí, Prado, Saldaña, Sumapaz, son algunos de ellos, y con otras corrientes de menor caudal contribuyen a hacer de su territorio uno de los más aptos para las labores agrícolas y pecuarias del país.

En tiempos prehispánicos la región tolimense estaba habitada por comunidades indígenas panches, natagaimas y pijaos, de filiación caribe, que se opusieron tenazmente al establecimiento de los europeos en su entorno y fueron virtualmente extinguidos.

Sebastián de Belalcázar fue el primero de los conquistadores que arribó a estas comarcas en el año de 1538. Posteriormente llegaron Hernán Pérez de Quesada, Andrés López de Galarza y Francisco Núñez Pedroza, quienes fundaron varias poblaciones.

Las provincias de Mariquita y Neiva conformaron durante el siglo pasado el Estado Federal del Tolima hasta 1886, cuando se creó el departamento del Tolima, con capital en Ibagué, conocido con el apelativo de Tolima Grande.

Las principales actividades económicas de la región giran en torno a la agricultura, la ganadería, la industria y la agroindustria. En la zona del valle del Magdalena se explotan algunos yacimientos petrolíferos y en la región montañosa del occidente se extrae oro. En la jurisdicción departamental también se realiza la explotación de yacimientos de hierro, plomo, carbón, plata, calcita, cuarzo, mercurio y otros minerales. La generación de energía eléctrica es un renglón importante para el cual fue construida la represa del Prado.

En tiempos coloniales y hasta bien entrado el siglo XIX, Honda, fundada en 1539 por Gonzalo Jiménez de Quesada, y en 1643 convertida en Villa por el título que le otorgó Felipe IV, fue uno de los principales puertos fluviales sobre el Magdalena y sitio de enlace territorial que canalizaba el comercio de Cartagena y Barranquilla con el interior del país, principalmente con Santafé de Bogotá. El puerto conserva en buen estado el trazado original de la ciudad, con calles estrechas en las que es posible admirar muestras ejemplares de la arquitectura colonial. Cuando el café reemplazó al tabaco como principal producto de exportación, Honda se convirtió en uno de los más importantes centros cafeteros del país. Actualmente se la conoce como la "Ciudad de los Puentes" y entre los eventos que convocan visitantes están el Festival del Río y el Festival de la Subienda, en el que se puede degustar el famoso "viudo de pescado", plato típico de la región.

Durante la Colonia, la región de Mariquita gozó de gran prosperidad como centro de producción aurífera. La ciudad fue fundada en 1551, como epicentro de los ricos yacimientos encontrados. Su renombre económico corrió parejo con el científico, pues el sabio Mutis escogió a Mariquita como centro de sus investigaciones naturalistas; en memoria suya se conservan en la ciudad un Jardín Botánico, la Casa de Mutis y un Museo de Historia Natural.

Ibagué

Ibagué, la capital departamenta, está construida sobre las faldas de la cordillera Central, a 1.235 msnm; tiene una temperatura media de 24 °C y su territorio municipal abarca desde las cumbres nevadas de la cordillera Central hasta las cercanías

del río Magdalena, e incluye no sólo terrenos montañosos sino también extensas planicies. Varios ríos como el Alvarado, Cocora, Coello, Combeima, Chipalo, Opia y Romualdo, integran la red hidrográfica del municipio.

La ciudad fue fundada por Andrés López de Galarza en 1550, en cercanías de poblados indígenas pijaos, para servir de punto de enlace en el camino entre las gobernaciones de Santafé de Bogotá y Popayán. Desde allí se adelantaron las campañas de pacificación de la zona, en particular contra los aguerridos pantágoras, como respuesta a la petición elevada en ese sentido ante la Real Audiencia por los moradores de Tocaima y Santafé. En 1887 Ibagué fue designada capital del departamento del Norte, que formaba parte del Estado del Tolima y desde 1910, cuando fue creado el departamento del Tolima, fue elegida como su capital. Al norte de la ciudad se levanta el imponente Nevado del Tolima.

Las principales actividades económicas giran en torno del comercio, la industria, la agricultura, la ganadería y la minería. La industria manufacturera está bastante desarrollada y en sus predios se encuentran instaladas grandes factorías dedicadas a la producción de alimentos, bebidas, licores, trilladoras de café, muebles metálicos, cemento y materiales de construcción.

Ha sido llamada la "Ciudad Musical de Colombia" por sus festivales y porque cuenta con uno de los más afamados conservatorios del país; entre el 20 y el 24 de junio se celebra allí el Festival y Reinado Nacional del Folclor, en el día de San Juan, en medio de bambucos, torbellinos, rajaleñas, guabinas, bailes populares, reinas, comparsas, matachines y comida típica. A estas celebraciones asisten habitantes de las ciudades vecinas y de la capital de la república.

En esta página. **La ciudad de Honda, a orillas de los ríos Magdalena y Gualí, fue uno de los principales puertos durante la Colonia; por allí se movía el comercio entre el interior del país y Cartagena de Indias. En su centro histórico se encuentran hermosas construcciones de los siglos XVII, XVIII y XIX.**

En la página siguiente: **panorámica del majestuoso volcán nevado del Tolima.**

Arriba: el río Magdalena, que nace en la Estrella Hidrográfica de Colombia, baja serpenteando por la cordillera Central, camino al valle;

la represa de Betania, embalse que aprovecha las aguas del río Magdalena y del Yaguará, tiene una extensión de 7.000 hectáreas y genera

500.000 kilovatios de energía. Abajo: un sembrado de arroz en el valle del río Magdalena, una de las zonas más productivas de Colombia;

el desierto de La Tatacoa, que ofrece paisajes fascinantes; su extensión es de 330 kilómetros cuadrados y su temperatura media de 43 °C.

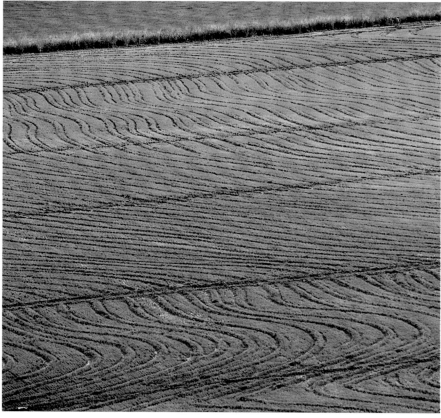

En el departamento del Huila se encuentran pintorescas poblaciones que conservan su arquitectura tradicional; entre ellas se destacan El Hobo, Garzón, Pitalito y Suaza. Abajo: "La ceiba de la Libertad", en Gigantes, sembrada por José Hilario López en 1851 como símbolo de la emancipación de los esclavos, decretada por Ley de la República en ese mismo año; la salida de Neiva, hacia el sur, donde se forma un inmenso pabellón de árboles gigantescos que dan sombra y frescura en el paso por el cálido valle del Magdalena.

Neiva, la capital del departamento del Huila, fue fundada en forma definitiva por el capitán Diego de Ospina y Medinilla, canciller real del Nuevo Reino de Granada, en 1612. En esta página: el Pueblito Huilense, sitio turístico que recrea los viejos asentamientos de la región. *Monumento a los potros*, obra de Rodrigo Arenas Betancur, en homenaje al escritor huilense José Eustasio Rivera.

En la página siguiente: la Catedral de La Inmaculada Concepción, en el Parque Santander.

La ciudad de Ibagué, capital del departamento del Tolima, famosa por su actividad musical, fue fundada en 1550 sobre un abanico fluviovolcánico procedente del volcán nevado del Tolima. En está página: la Plaza de Bolívar, en el centro de ciudad.

Arriba: La Ermita, hermosa construcción del siglo XVI donde se venera una imagen milagrosa de Cristo, está localizada en Mariquita, población que fue elegida por José Celestino Mutis como sede de la Expedición Botánica.

Abajo: Ambalema, capital el Estado Soberano del Tolima, fue el gran centro tabacalero del siglo XIX. Su arquitectura se caracteriza por la gran cantidad de columnas que bordean los amplios corredores exteriores de las casas.

Orinoquía

S egún relata el cronista Fray Pedro Simón en sus *Noticias historiales*, de la Orinoquía, la tierra "donde nace el sol", llegó Bochica, el dios civilizador de los muiscas que enseñó a los habitantes ancestrales del altiplano cundiboyacense a hilar, tejer mantas, pintar telas y fabricar cerámicas y les predicó preceptos morales, sociales y políticos. "... Dicen que vino por la parte del este que son los Llanos que llaman, continuados de Venezuela, y entró a este reino por el pueblo de Pasca...", cuenta el cronista, que registró así parte de la cosmogonía de los aborígenes que encontraron los españoles a su arribo al Nuevo Mundo.

Y sí pareciera como si en los Llanos Orientales naciera el sol. Los amaneceres de belleza estremecedora, las sabanas interminables y el alma indómita del llanero son apenas unas de las características evocadas por poetas como Eduardo Carranza o músicos y compositores como Arnulfo Briceño y tantos otros que con tañidos de arpa y requinto reafirman la idiosincrasia de una de las regiones representativas de Colombia, cuyas manifestaciones folclóricas y culturales comparte con la vecina Venezuela.

De tipo humano mestizo, carácter aventurero y amante de la libertad y los vastos espacios abiertos a los que está acostumbrado, el llanero tradicional se distingue por los tres elementos que siempre lo acompañan: "buen caballo, buena silla, buena soga pa' enlazar", como dice la copla, una de las muchas que al son del joropo, el galerón o el corrido, animan las fiestas llaneras y dan a conocer aspectos de la región.

La vasta planicie que se conoce como los Llanos Orientales se extiende desde las estribaciones de la cordillera Oriental para luego fundirse con las sabanas venezolanas y, hacia el sur, con las selvas de la Amazonía. La región, denominada Orinoquía porque involucra todas las aguas que confluyen al río Orinoco, cubre, en cuanto hoya hidrográfica, una superficie de 434.168 kilómetros cuadrados, que equivale al 38,5% del territorio nacional; en cuanto región natural su extensión es menor, pues se circunscribe sólo a las tierras planas llama-

Atardecer en la llanura.

La cuenca del río Orinoco está conformada por infinidad de quebradas, ríos y caños que bajan de la cordillera Oriental, como el Manacacías, en el departamento del Meta. El río Meta, por su parte, es una de las principales vías de comunicación en la Orinoquía colombiana.

das comúnmente Llanos Orientales, con 230.967 km^2 que representan el 20% del territorio colombiano. Cuatro departamentos conforman la Orinoquía colombiana: Meta, Casanare, Arauca y Vichada.

La parte superior de la Orinoquía está demarcada por los ríos Arauca y Meta, el lado oriental por los ríos Orinoco y Atabapo, el lado occidental por la parte más alta de la cordillera Oriental, y el sur por los ríos Guaviare e Inírida. Predominan la vegetación de sabana natural, con pastos y matorrales, las matas de monte y la selva ribereña. Grandes áreas se inundan durante los períodos de lluvias y ofrecen ambientes apropiados para las aves acuáticas. En el piedemonte de la cordillera Oriental se desarrolla una selva húmeda de árboles de gran porte.

En la Orinoquía se pueden distinguir seis ecosistemas diferentes: el Piedemonte, una faja de terreno inclinado cuya altura sobre el nivel del mar oscila entre los 200 y los 1.000 metros, es el sector más poblado, urbanizado y explotado y alberga algunos de los más grandes depósitos petrolíferos del país; la Orinoquía inundable, al norte del río Meta, cuyos ríos se explayan en invierno y causan inundaciones cíclicas; la Orinoquía no inundable, que comprende los territorios del Meta y del Vichada y cuya red fluvial es menos compleja que la de la Orinoquía inundable; el Andén Orinoqués, una faja de terreno que bordea el Orinoco y la desembocadura de sus afluentes, constituido por afloramientos del macizo de Guayana llamados "tepuyes", que en lengua indígena significa montaña; la serranía de La Macarena, una formación orográfica independiente de los sistemas andino y guayano–brasileño, de notable riqueza ecológica; y la selva de Transición, que une la Orinoquía con la Amazonía y presenta características de ambos sistemas.

Tradicionalmente, la Orinoquía ha sustentado su economía en las actividades pecuarias y agrícolas. Entre esta últimas sobresalen las plantaciones de sorgo, ajonjolí y palma africana para la producción de aceites naturales. La pesca en sus numerosos ríos es otra fuente importante de recursos de la región. En los últimos años, los enormes yacimientos petrolíferos y de gas natural encontrados en Arauca y Casanare han abierto a la región a grandes retos y nuevas actividades.

Al arribo de los españoles, el territorio de la Orinoquía estaba poblado por distintas naciones de la familia arawak. Grupos de la familia lingüística chibcha que ocupaban el altiplano habían bajado por la cordillera Oriental y se establecieron en el piedemonte, donde iniciaron un proceso de intercambio con los arawaks que fue interrumpido por la conquista española; el área también estaba habitada por guahíbos nómadas que ocupaban las cuencas de los ríos Meta, Tomo y Tuparro.

La región de los llanos también hizo parte de la leyenda de El Dorado, y en el siglo XVI Jorge Spira y Nicolás de Federmán organizaron expediciones en busca del esquivo oro. Sin embargo, la penetración blanca realmente comenzó con el establecimiento de las misiones de los jesuitas en Casanare, pese a la resistencia que opusieron algunas tribus indígenas. En el siglo XVIII, grupos misioneros españoles se establecieron en el alto Orinoco, y en 1754 fundaron el caserío de Maypures. En 1757 los jesuitas fundaron San Fernando de Atabapo en la confluencia de los ríos Atabapo, Orinoco y Guaviare, para impedir el ingreso de portugueses a la región.

Entre los viajeros e investigadores más notables de la Orinoquía se cuentan el científico alemán Alexander von Humboldt y el botánico francés Aimé Bonpland, que remontaron el río Orinoco y quedaron maravillados con los raudales, en los que abundan los torrentes espumosos, pequeñas caídas de agua, remolinos e islas.

El departamento del Meta está conformado por cinco regiones geográficas distintivas: la Andina, el Piedemonte, la Orinoquía, la serranía de La Macarena y parte de la Amazonía. La hidrografía está formada por las cuencas de los ríos Meta, Guaviare, Guarrojo, Planas e Iteviare y por subcuencas y lagunas.

El territorio estaba habitado por grupos arawaks y guahíbos, que luego se mezclaron racialmente hasta conformar el prototipo llanero mestizo. El poblamiento del Meta ha estado sujeto a permanentes corrientes migratorias de colonizadores que llegaron a ocupar tierras que hasta principios del siglo XX eran baldías, atraídos por la explotación de quina y caucho primero, luego de maderas y posteriormente por la agricultura. La gana-

Atardecer en Puerto López, centro agrícola y ganadero del Meta y segunda ciudad del departamento. En la actualidad se comunica con Villavicencio a través de una moderna autopista.

dería es la industria complementaria en la explotación de tierras del departamento y produce gran parte de la carne que se consume en la zona andina.

Villavicencio, la capital del departamento del Meta, se encuentra en el piedemonte de la cordillera Oriental y es la "Puerta del Llano". Está situada a 112 kilómetros de Bogotá, y entre los pilares económicos sobresalientes se cuenta la explotación petrolera.

Villavicencio es escenario del torneo internacional de "coleo", deporte practicado conjuntamente en los llanos de Venezuela y Colombia, que representa la faena realizada cuando un animal abandona la madrina del ganado donde iba, y el jinete lo agarra por la cola y lo derriba.

La ciudad de San Martín es un importante centro de ferias ganaderas y allí se realizan todos los años las famosas "cuadrillas", expresión del mestizaje folclórico musical, coreográfico y popular. Puerto López, a orillas del río Meta, es el principal puerto del departamento.

Al suroccidente del departamento del Meta se encuentra el Parque Nacional Natural Serranía de La Macarena, de gran valor científico por su gran biodiversidad, con especies de los Andes, de la Orinoquía y de la Amazonía.

El departamento de Casanare cubre desde tierras bajas de las sabanas hasta montañas andinas. La explotación petrolera ha impulsado el desarrollo económico de la región. Los habitantes originarios del Casanare, indígenas achaguas, tunebos, guahíbos, támaras, piapocos, caquetíos y cusianas, fueron víctimas de los conquistadores españoles y alemanes. Más tarde se instalaron en esta región misiones de religiosos, sobre todo de jesuitas, dominicos y agustinos. Los jesuitas catequizaron a los indígenas y les enseñaron a trabajar en fraguas, telares y labranzas y a pastorear el ganado.

Yopal, la capital del departamento, es un importante centro comercial de la región y punto de partida para visitar cualquier lugar de los Llanos. En Casanare se encuentra Paz de Ariporo,

una población fundada en 1953 a raíz del armisticio, cuando los guerrilleros del llano depusieron sus armas.

Localizado en la parte norte de la Orinoquía, el departamento de Arauca linda al norte y a oriente con Venezuela. Su río más importante es el Arauca, que sirve de frontera con Venezuela en gran parte de su recorrido y desemboca en el Orinoco. Esta región ostenta una de las más ricas avifaunas de la Orinoquía y tiene un relieve de contrastes, con altos picos andinos y sabanas bajas que poseen una variada capa vegetal. A la llegada de los españoles, el territorio estaba poblado por grupos arawaks y guahíbos en las planicies y chibchas hacia la cordillera Oriental. Durante el período colonial hubo un gran mestizaje que persiste hasta nuestros días.

En 1983 se informó sobre el hallazgo de un pozo de petróleo prometedor en Caño Limón, en el departamento de Arauca, y poco después el gobierno anunció la existencia de vastas reservas petrolíferas en la región. Colombia ingresó al grupo de los exportadores de petróleo, y la actividad petrolera y la construcción de un oleoducto para el transporte de crudo impulsaron fuertemente la actividad económica de la región.

Arauca, capital del departamento, es puerto fronterizo con Venezuela y un activo centro comercial y ganadero; en los últimos años ha visto crecer considerablemente su economía gracias a la industria petrolera. La población de Tame, fundada en 1625, se ha llamado "Cuna de la Libertad", pues allí decidió Bolívar cruzar los Andes para sorprender a los españoles.

El departamento del Vichada, cuya hidrografía está determinada por el río Orinoco y sus afluentes, tiene una considerable población indígena. La flora es amazónica en la parte sur y propia de la Orinoquía en el resto del territorio. Puerto Carreño, fundada en 1922, es la capital del departamento, y sustenta su economía en el comercio, la pesca y algo de ganadería.

En la jurisdicción del municipio de Puerto Carreño, en la gran sabana bañada por el río Orinoco, se encuentra el Parque Nacional Natural El Tuparro, que cubre un área de 548.000 hectáreas, donde se encuentran varias especies de primates, aves, reptiles y peces.

La variedad de especies de flora y fauna es una constante en todo el país dadas las condiciones climáticas y de suelos.

En esta página, abajo: **el llanero se caracteriza por su amor a la libertad, por el valor y el respeto a sus tradiciones. Festival de coleo, celebración típica de la región, en la cual el jinete tumba al toro agarrándolo por la cola.**

En la página siguiente: **torre de perforación en el departamento de Casanare, en las cercanías de Yopal. En las últimas decadas se han descubierto inmensos yacimientos de petróleo en el piedemonte llanero, gracias a los cuales Colombia ha pasado a ser exportador de uno de los crudos livianos más ricos del mundo.**

Los Llanos Orientales de Colombia son inmensas sabanas que se extienden desde el piedemonte de la cordillera Oriental hasta el límite con Venezuela. En la página anterior: amanecer sobre la llanura, visto desde la Sierra Nevada del Cocuy. En esta página: morichales o bosques de galería –pequeños reductos de vegetación en la sabana, propicios para el desarrollo de una rica biodiversidad–; atardecer en el río Ariari, al sur del departamento del Meta. En los Llanos aún se viaja como lo hacían hace siglos los antiguos pobladores y expedicionarios que se internaban por sus lejanías.

Las extensas sabanas son territorios aptos para la ganadería, principal fuente de trabajo para el habitante de los Llanos, cuyo carácter libre e indómito se refleja en su forma de trabajo, en su folclor, sus costumbres y tradiciones. El llanero tiene la herencia de los legendarios lanceros que sellaron la independencia de Colombia.

Villavicencio, la principal ciudad de la Orinoquía colombiana, llamada la "Puerta del Llano", se comunica con Bogotá por una excelente autopista que está considerada como una de las mejores obras de ingeniería del país; por ella circula buena parte de los productos agrícolas y ganaderos que abastecen la capital.

En esta página: uno de los más bellos espectáculos que brinda la naturaleza en los Llanos: sus prodigiosos atardeceres y piedemonte en el departamento de Casanare, donde la cordillera se desliza suavemente hasta perderse en la llanura. Es la región donde se han encontrado los más recientes yacimientos de petróleo en el país. En la página siguiente: el río Arauca, que en parte de su recorrido marca el límite con Venezuela.

Amazonía

Pese a la exuberancia de su vegetación, formada por densas espesuras, árboles gigantescos y frondosos tapetes verdes, la selva amazónica es una región especialmente frágil. Sus suelos son pobres en nutrientes y sus abundantes riquezas corren el riesgo de perderse como resultado de un manejo inadecuado de sus recursos naturales. No obstante, el ecosistema amazónico aprovecha al máximo sus posibilidades, y la interacción de suelos, aguas y especies permite que los nutrientes se reciclen una y otra vez para generar vida. En la Amazonía habita el mono más pequeño que se conoce, que coexiste con la Victoria Regia, el loto más grande del mundo. En algunos de sus ríos se pueden admirar los delfines rosados, como también es posible toparse en sus selvas con la anaconda, la colosal serpiente que puede medir más de diez metros de largo. Es el paraíso de quienes aman la naturaleza virgen, pues no en balde contiene el mayor número de especies de fauna y flora conocidos por el hombre; pero también es el "infierno verde" que agrede a los intrusos que no la saben respetar, y la selva ruda en la que se internó Arturo Cova, el protagonista de *La vorágine*.

Es una tierra muy poco poblada en la que habitan grupos indígenas como los ticunas, huitotos, mayuranas y ocaina, que aún conservan sus mitos, rituales y tradiciones ancestrales; pero también ha sido una región receptora de todo tipo de gentes provenientes del país entero, que han migrado allí en busca de riquezas y oportunidades o huyendo de situaciones difíciles de violencia y pobreza. Las intrincadas relaciones entre historia, geografía, colonización y acción o inacción del Estado que dan origen a estos conflictos han sido claramente expuestas por el sociólogo Alfredo Molano en sus diversas obras, esenciales para entender los problemas de esta vasta y enigmática región.

Del área total de la Amazonía, que con sus 6'869.344 km^2 es la selva tropical más rica del planeta, le corresponden a Colombia 403.000 km^2, que equivalen al 35,4% del territorio nacional. Seis grandes departamentos configuran la región de la Amazonía colombiana: Amazonas, Caquetá, Putumayo, Guainía, Guaviare y Vaupés.

Atardecer en el río Amazonas.

La región amazónica, que se extiende hacia el sur de los Llanos Orientales, es en su mayor parte una vasta llanura cubierta por selva tupida, irrigada por gran número de ríos. El principal de éstos es el Amazonas, el segundo río del mundo por su longitud y el primero por su caudal de 120.000 m² por segundo. De sus 6.275 km de recorrido, 115 pasan por el extremo sur de Colombia en lo que se conoce como el Trapecio Amazónico. En épocas de invierno, el río alcanza una anchura de dos kilómetros frente al puerto colombiano de Leticia.

No es fácil determinar el pasado remoto de la Amazonía, pues las condiciones climáticas y de los suelos selváticos dificultan la conservación de vestigios históricos, aunque se han encontrado interesantes petroglifos, sobre todo en la región del sur de Caquetá. Sin embargo, se cree que la presencia del hombre se remonta a varios milenios antes de nuestra era. Los pobladores primitivos, la mayoría del grupo arawak, probablemente se asentaron a lo largo de los ríos principales hace más de 120.000 años y debieron ser bastante numerosos, aunque no existe una evaluación de la magnitud de la población al arribo de los europeos. Hoy, se calcula que la población indígena de la Amazonía no supera los 70.000 habitantes, divididos en muchos grupos y familias lingüísticas distintas. Pese a la presencia del hombre en esta región desde hace miles de años, sus pobladores indígenas supieron adaptarse al entorno y utilizar sabiamente los bienes renovables de la selva sin afectar el ecosistema que los produce.

La penetración europea comenzó en el siglo XVI. El primer conquistador que se aventuró por territorios amazónicos fue Francisco de Orellana, hacia 1524. Emprendió un recorrido por el río Amazonas, al que dio ese nombre por las guerreras aborígenes que según le dijeron había en la región y que le recordaron a las legendarias amazonas de la Antigüedad griega. En 1541, Hernán Pérez de Quesada organizó una de las expediciones más ambiciosas realizadas en América en busca del mítico El Dorado. La expedición que atravesó la cordillera antes de ingresar a la selva, constaba de 5.000 indios cargueros, 270 españoles y 200 caballos, y la mayor parte de sus integrantes murieron en la empresa.

Durante la Colonia, la colonización de la selva corrió a cargo de comunidades religiosas, en especial jesuitas, capuchinos y franciscanos, quienes durante los siglos XVII y XVIII fundaron pueblos misioneros que sufrieron numerosos ataques por parte de los nativos. Por esta época, fueron comunes las incursiones de comerciantes portugueses que cazaban indígenas con el propósito de esclavizarlos. El escaso interés que sentían los gobernantes coloniales y los primeros republicanos por la selva permitió que ésta permaneciera casi intacta hasta fines del siglo XIX. En los años setenta de ese siglo los recolectores de quina, el primer producto importante de exportación, comenzaron a penetrar en las cuencas de los ríos Caquetá y Putumayo. En 1875, el general Rafael Reyes, que después fue presidente de Colombia, fundó con sus hermanos la primera empresa comercial dedicada a la extracción de quina y caucho, con destino a los mercados europeos. Fue una empresa difícil, con trabajadores traídos de los Andes, muchos de los cuales sucumbieron a la fiebre amarilla. Finalmente, la bonanza de la quina terminó cuando los europeos comenzaron a sembrar el árbol en Asia. Sin embargo, pronto comenzaría otra bonanza, la del caucho, fuente de mucho sufrimiento en la región.

A comienzos del siglo XX, en los países del norte se empezó a utilizar el caucho para la fabricación de neumáticos y su precio subió vertiginosamente. Miles de colonos se desplazaron a la selva en busca de fortuna, protagonizando historias rudas como las que nos legó José Eustasio Rivera en *La vorágine* (1924). Un comerciante peruano, Julio César Arana, organizó las primeras extracciones masivas de caucho en la región del Putumayo, sometiendo a los indios huitotos a trabajos forzados. En el espacio de veinte años, la tristemente célebre Casa Arana construyó un emporio y redujo en un 80% la población indígena del Putumayo.

En 1922 se firmó el Tratado Lozano-Salomón que definió la frontera amazónica entre Colombia y Perú; Leticia se convirtió en el puerto de Colombia sobre el río Amazonas. El tratado le planteaba serios problemas a la Casa Arana, cuyas instalaciones se habían extendido hasta bien adentro del territorio colombiano. Los caucheros intentaron, sin éxito, detener la aprobación del Tratado, y luego obligaron a sus trabajadores huitotos esclavizados a migrar al Perú.

En 1930 el general Sánchez Cerro depuso al presidente del Perú y no mucho después un grupo de peruanos, apoyado por el go-

El río Amazonas es el más caudaloso del mundo; 115 km de su cauce constituyen la frontera del país en su extremo sur, cuya esquina se encuentra Leticia, capital del departamento del Amazonas y principal ciudad de la Amazonía colombiana. Esta región ha sido llamada el pulmón del planeta debido a la exuberancia de su selva virgen, tan densa que en muchas partes impide que penetren los rayos del sol.

En la Amazonía habita una inmensa variedad de especies animales y vegetales que se constituyen en la principal reserva biológica del planeta. En las fotos, la heliconia, una flor de extraña forma y singular colorido y un mono aullador. En la página siguiente: la enmarañada vegetación de la zona del Parque Nacional Natural Amacayacu, donde se entrelaza el follaje de multitud de especies vegetales.

bierno, expulsó a las autoridades colombianas presentes en Leticia. El conflicto colombo-peruano sirvió para que el gobierno se diera a la tarea de ejercer soberanía en el Amazonas, y dedicara presupuesto militar y de infraestructura a la región. En 1931, por un Protocolo, Leticia y el Trapecio Amazónico fueron ratificados definitivamente como parte de Colombia.

La construcción de carreteras facilitó el proceso de colonización ganadera, que comenzó en el piedemonte del Caquetá. A mediados e este siglo, la violencia partidista desatada en casi todo el territorio nacional forzó el desplazamiento de grandes grupos de población, muchos de los cuales se trasladaron hacia el Caquetá y el Putumayo.

La cacería con miras a la venta de pieles y el corte de las mejores especies madereras se aceleraron con la llegada de los inmigrantes y comenzó en serio la destrucción sistemática de la selva. En 1962, el Instituto Colombiano de Reforma Agraria, Incora, quiso canalizar la "colonización espontánea" e impulsó la construcción de vías, puestos de salud y escuelas, al tiempo que apoyó un modelo de colonización agrícola y ganadera en predios de 48 hectáreas. Sin embargo, muy pronto se reprodujo la tendencia a la formación de latifundios, cuando grandes terratenientes ganaderos comenzaron comprar la tierra, ya desbrozada, a los colonos originales.

En años recientes, el cultivo de marihuana, primero, y luego la siembra y el procesamiento de coca, constituyeron las nuevas bonanzas de la región, que ponen en peligro los frágiles suelos selváticos. Aunque el Estado libra una intensa campaña de erradicación, las condiciones de la selva dificultan la detección de los cultivos y propicia las actividades de otro elemento desestabilizador, la guerrilla. Esta circunstancia complica la situación social de la región, cuyos pobladores muchas veces terminan siendo víctimas de fuerzas encontradas y sufren los problemas que a largo plazo generan el dinero fácil y la inflación producto del enriquecimiento desmesurado, con el consiguiente perjuicio para los cultivos tradicionales.

Hoy día, la Amazonía, tanto a nivel de su gente como de sus recursos naturales, suscita un mayor interés por parte de los gobiernos, por fin conscientes de la importancia de conservar no sólo

los suelos selváticos, sino todo el ecosistema, es decir, la interrelación de clima, suelos, aguas, flora y fauna. Existe una conciencia ambiental mucho mayor, y priman los conceptos de desarrollo económico sostenible y ecodesarrollo. Sólo así será posible conservar esa vasta zona que es la Amazonía, cuyos beneficios se extienden al planeta entero.

El departamento del Amazonas, ubicado en el extremo suroriental de Colombia en la frontera con Brasil y Perú, está prácticamente cubierto por selvas tupidas, bañadas por numerosos ríos y caños. En épocas precolombinas estaba habitado por diversos grupos indígenas, en especial arawaks, tucanos y caribes, de los cuales subsisten varios grupos descendientes de ellos, como los ticunas, los curripacos, los cubeos y los carijonas.

El departamento tiene el relieve característico de las llanuras amazónicas, sin mayores variaciones en altitud. Entre los ríos más importantes que fluyen por su territorio están el Amazonas –que en Colombia pasa por el llamado Trapecio Amazónico–, el Putumayo, el Caquetá y el Apaporis. Tiene una vegetación muy variada, aunque sus suelos de escasos nutrientes requieren espe-

cial cuidado, pues los cultivos los agotan rápidamente. La actividad económica del departamento gira en torno a la pesca, la explotación maderera, la extracción de caucho, el comercio y el turismo ecológico y de aventura. En su territorio se encuentran el Parque Nacional Natural Amacayacu, que cubre una extensión de 293.500 hectáreas, ricas en especies animales y vegetales.

Leticia, la capital del departamento y puerto sobre el río Amazonas, fue fundada en 1867 por el capitán peruano Benigno Bustamante, gobernador del Distrito de Loreto. Como resultado del Tratado que zanjó los conflictos fronterizos entre Colombia y Perú, se ratificó la pertenencia de Leticia al territorio colombiano. Últimamente, en Leticia, grupos de científicos y ambientalistas han concentrado su interés en las posibilidades de investigación y tecnologías apropiadas para la región, con miras a construir un modelo de desarrollo amazónico.

La colonización blanca llegó al departamento del Caquetá hacia fines del siglo pasado, en busca de la corteza de la quina, que por esa época era muy cotizada en los mercados internacionales. Más tarde, cuando se desplomó el comercio de la quina, el sur selvático de Caquetá participó en la bonanza cauchera. Hacia mediados de los años cuarenta, surgieron las primeras grandes fincas agropecuarias en las tierras fértiles del piedemonte andino. Al propio tiempo, grupos de colonos penetraron en la espesura de la selva, talando los árboles para vender la madera. La colonización produjo una rápida erosión en muchas regiones. En la actualidad, la siembra de pastos adaptables al frágil territorio ha ido recuperando terrenos improductivos.

En 1902 se fundó Florencia, su capital, ubicada en zona fértil bañada por los ríos Orteguaza, San Pedro y Bodeguero. Muy cerca de Florencia, en el lugar denominado El Encanto, se encuentra un enorme petroglifo con figuras de serpientes, lagartos y micos, una de las numerosas muestras de arte rupestre que en años recientes se han hallado en diversos lugares de la Amazonía.

El departamento del Putumayo se extiende desde las estribaciones occidentales de los Andes hasta la planicie amazónica al oriente, y está delimitado por dos grandes ríos: al norte el Caquetá y al sur el Putumayo. Los españoles penetraron al territorio desde el siglo XVI, y en 1551 Pedro de Agreda fundó Mocoa, hoy capital del departamento. Los asentamientos iniciales tuvieron que enfrentar la resistencia a los grupos indígenas ingas y huitotos, cuyos descendientes todavía hoy constituyen la mayor parte de la población autóctona.

A semejanza de otras regiones de la Amazonía, los territorios del Putumayo fueron objeto de expediciones en busca de corteza de quina, organizadas por el general Rafael Reyes, en medio de todo tipo de adversidades. Sus pobladores nativos fueron, quizá, las mayores víctimas de la fiebre del caucho, cuando la Casa Arana incursionó en estos territorios cazando y esclavizando mano de obra para extraer la savia de los árboles.

Una vez resuelto el conflicto fronterizo peruano-colombiano, que interesó en gran parte al Putumayo, las décadas de los cuarenta y cincuenta fueron años de colonización. En la década de los sesenta se inició con buenos resultados la explotación de petróleo en el área de Orito, lo que determinó la construcción de un oleoducto y la atracción de trabajadores de todo el país. La ciudad de mayor desarrollo del departamento es Puerto Asís,

En la página anterior: **esta zona selvática es una de las más húmedas del mundo, debido al intenso régimen de lluvias y a las elevadas temperaturas.** En esta página: **los ríos de la Amazonía forman algunos lagos estacionales que resultan ser lugares ideales para la pesca artesanal.** En la página siguiente: **el follaje de los árboles de las rivieras reflejado en la quietud de las aguas del Tarapoto, uno de los lagos estacionales que se forman gracias al caudal de los ríos en épocas de lluvia.**

fundada en 1912 por los capuchinos, que fue convertida en base militar durante el conflicto con el Perú y luego desplazó a Mocoa desde el punto de vista económico, debido a su cercanía a los yacimientos petrolíferos de Orito.

El departamento de Guaviare se sitúa en la parte norte de la Amazonía y lo baña una intrincada red de cursos de agua, entre ellos el río Guaviare, que se forma a partir de la confluencia de los ríos Guayabero y Ariari y le da su nombre. Este río sirve de límite a los departamentos del Meta y del Vichada, y determina en Colombia la división entre Orinoquía y Amazonía. En el territorio predominan las tierras planas o ligeramente onduladas, con algunas serranías importantes, como las de Chiribiquete, San José y Tunahí. Sus ríos se dividen en dos cuencas principales: al norte los llamados "ríos blancos", que nacen en la cordillera, van a tributar al Orinoco. Al sur están los tributarios del Amazonas, llamados "ríos negros", que nacen en la selva. La ciudad de San José del Guaviare, zona de colonización, es la capital del departamento, y en su jurisdicción se encuentra la Reserva Nacional Natural Nukak, territorio donde habitan las comunidades nómadas maku, y parte del Parque Nacional Natural de Chiribiquete.

En la parte suroriental de Colombia, colindando con Brasil, se encuentra el departamento de Vaupés, habitado casi en su totalidad por indígenas de las comunidades cubeo, desana, guanano y tukano. Sus ríos más caudalosos y principales vías de comunicación son el Apaporis, el Cananarí, el Macaya, el Papunahya, el Papurí, el Pirá-Paraná, el Querarí, el Taraira, el Tuy y el Vaupés. Los municipios más importantes son Mitú, la capital, sobre la margen derecha del río Vaupés, rodeada de espesas selvas, Carurú y Taraira, dos pequeñas poblaciones localizadas sobre las márgenes del río Apaporis.

El departamento de Guainía está conformado por una densa selva, por donde corren numerosos ríos que tienen impresionantes raudales. Puerto Inírida, la capital, fue fundada por colonos en 1963 con el nombre de Obando, a orillas del río Inírida, que en 1965 le dio el nombre. En jurisdicción de Puerto Inírida, cerca de la frontera con Brasil, se encuentra una de las reservas naturales más grandes del país, la Reserva Nacional Natural de Puinawai, que posee un área de 1'092.500 hectáreas, localizada en la sierra de Caranacoa y las tierras bajas periféricas entre el río Inírida y la frontera con Brasil.

Los habitantes de la Amazonía dependen en buena parte de sus ríos, en los que abunda la pesca; éstos se constituyen además en las únicas vías de comunicación entre los pocos asentamientos dispersos a lo largo de sus cauces. En la página anterior: pescadores artesanales en el río Amazonas. En esta página: panorámica del gran río, que a la altura de Leticia alcanza una anchura de más de dos kilómetros.

El Parque Nacional Natural Amacayacu, en las cercanías de Leticia, es una síntesis de la exuberancia de la Amazonía. Al adentrarse en el territorio selvático, a través de sus caños y sus ríos, es posible conocer la inmensa biodiversidad de la región natural más misteriosa del planeta. Entre la enmarañada vegetación de la zona se encuentran palmas como la guasay y la chonta, cedros rojos y blancos, e innumerables especies menores que enriquecen la capa vegetal.

Las extensas selvas de la Amazonía son compartidas por Colombia, Perú, Brasil y Ecuacor; están habitadas por algunas tribus indígenas que aún conservan intactas su cultura, sus formas de vida y sus costumbres ancestrales. Son también el hábitat de exóticas especies vegetales y animales únicas en el mundo, algunas de ellas en peligro de extinción, razón por la cual debemos comprometernos con la protección de esta selva, considerada el principal pulmón del planeta.

Sin lugar a dudas, la región amazónica es uno de los lugares del mundo con mayor biodiversidad, por lo cual se constituye en la principal reserva genética para el futuro de la humanidad. En esta página: una de las 3.000 especies de mariposas que se encuentran en Colombia; una babilla, especie que habita en los lagos y ríos de la región. En la página siguiente: la maravillosa victoria regia.

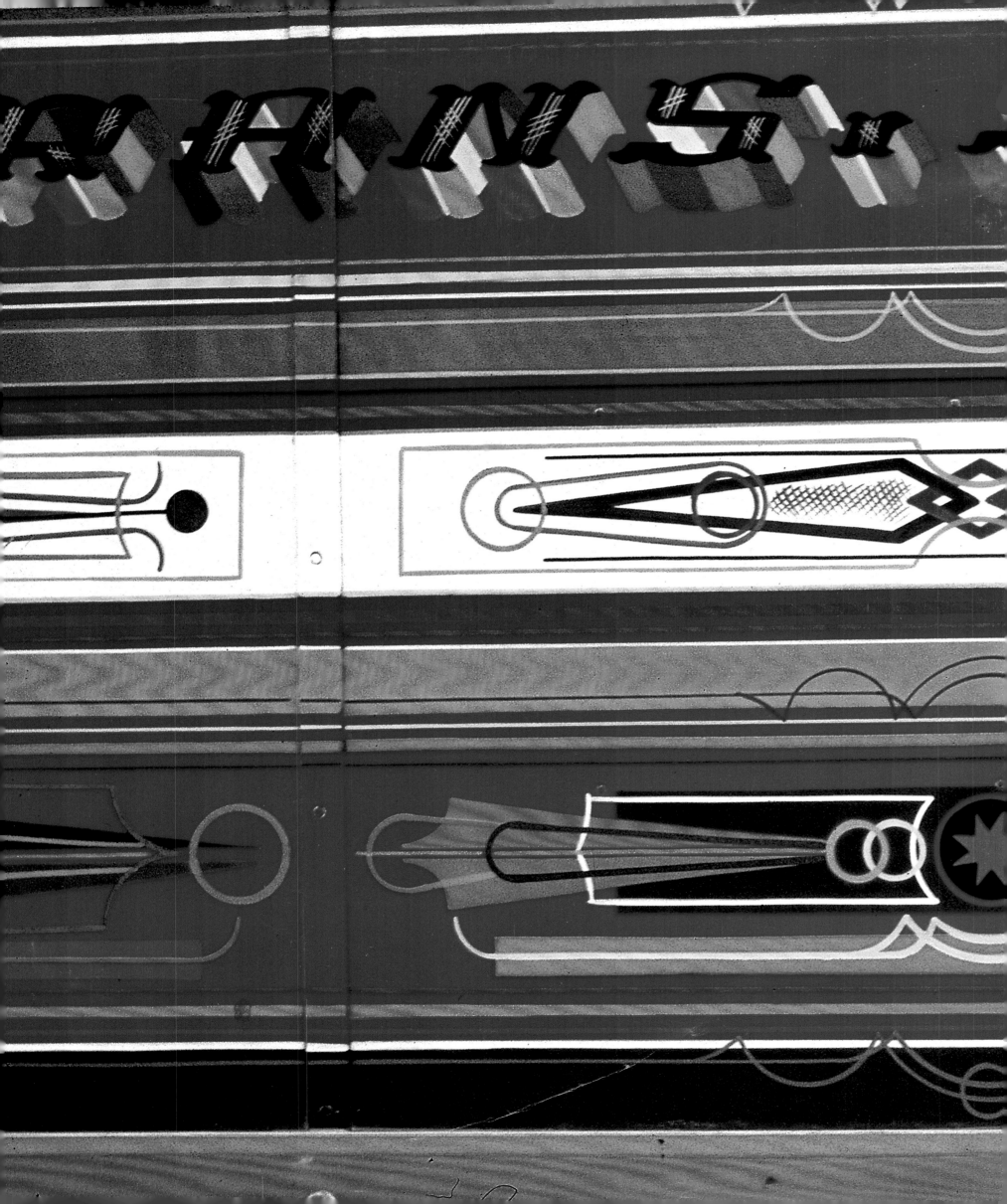